LES ENTRETIENS DU « MONDE »

ENTRETIENS AVEC Le Monde

1. Philosophies

Introduction de Christian Delacampagne

EDITIONS LA DÉCOUVERTE
1, place Paul Painlevé, 75005 Paris

LE MONDE
5, rue des Italiens, 75009 Paris

Si vous désirez être tenu régulièrement au courant de nos parutions, il vous suffit d'envoyer vos nom et adresse aux Éditions La Découverte, 1, place Paul-Painlevé, 75005 Paris. Vous recevrez gratuitement notre bulletin trimestriel A **la découverte.**

1968-1983 :
QUINZE ANNÉES
DE PHILOSOPHIE FRANÇAISE

Présenter en quelques pages un tableau de la philosophie française de ces quinze dernières années : voici, évidemment, une entreprise impossible! D'abord parce que les idées philosophiques sont des idées qu'il faut exprimer avec beaucoup de minutie si l'on souhaite ne pas les trahir, et que, quel que soit l'espace qu'on se donne pour ce faire, c'est toujours trop peu. Ensuite, parce que la vie philosophique a été particulièrement riche en France depuis 1968 : si la figure de « l'intellectuel universel » longtemps incarnée par Sartre semble ne plus être d'actualité, nombreux sont en revanche les chercheurs qui travaillent dans des domaines précis, le plus souvent sans communication entre eux. Il semble donc impossible – et d'ailleurs inintéressant – de citer tout le monde; mais à partir du moment où l'on se propose de faire un choix, il semble également difficile d'échapper au reproche d'arbitraire. Pourquoi ce choix et pas un autre? Pourquoi avez-vous retenu ceux-ci au détriment de ceux-là...? L'objection n'a, comme on s'en doute, pas de réponse satisfaisante. Faute de pouvoir la réfuter, on se proposera donc, simplement, de l'ignorer.

Mais cette affectation d'indifférence ne réglera pas tout. Il est exact que, comme l'histoire et les sciences humaines en général, la philosophie française a connu un développement important depuis une quinzaine d'années. En témoigne, entre autres, la réussite éditoriale des collections de philosophie jusqu'au début des années quatre-vingt, et particulièrement celle de certains livres réputés difficiles. L'impact relativement important d'idées abstraites et même d'œuvres théoriques dans les médias les plus portés à la simplification et les plus désireux de divertir le grand public est un autre aspect – et non le moins énigmatique – de ce curieux « succès populaire » remporté par quelques-uns des philosophes, jeunes ou moins jeunes, actifs durant ces années-là. Bref l'histoire, ou plus simplement le chroniqueur soucieux de dégager, dans un paysage aussi riche, les principales lignes de force, se trouve devant un double problème. Comment rendre compte de toute la variété des tendances les plus visibles? Et comment être sûr que ces tendances visibles ne nous en cachent pas d'autres qui, pour être moins tapageuses, n'en seraient peut-être que plus intéressantes?

Sans prétendre disposer des réponses simples à ces questions, je voudrais cependant essayer de répertorier les courants qui me paraissent les plus cohérents, et donc les plus significatifs, sur la période 1968-1983. Ce dernier critère me permettra au moins d'échapper au reproche de ne pas avoir cité telle ou telle œuvre singulière, d'un intérêt incontestable : sa singularité, c'est-à-dire l'impossibilité de la rattacher à une tendance plus ou moins organisée, sera précisément ce qui me l'aura fait, ici, laisser de côté.

Ce cadre étant posé, je voudrais en venir directement à l'évocation historique – disons, factuelle – des courants en question. Le premier d'entre eux selon l'ordre chronologique, puisqu'il a commencé à se manifester dans la philosophie française dès la fin des années cinquante ou le début des années soixante, est le courant *structuraliste*. Mais avant de parler des philosophes structuralistes proprement dits, encore faut-il expliquer en quoi consistait le structuralisme pratiqué depuis le début du siècle dans certaines sciences humaines, dont la philosophie n'a fait d'abord que tirer les conséquences. Préambule d'autant plus nécessaire, à mon sens, que c'est en gros *contre* le structuralisme, ou dans le meilleur des cas hors de lui, que se situent, à partir des années soixante-dix, la plupart des recherches des jeunes philosophes français.

L'idée de structure est, à l'origine, un concept mathématique dont la formulation est inséparable de la théorie des ensembles. Selon cette théorie, on entend par structure un ensemble, c'est-à-dire une multiplicité d'éléments dotés d'un certain nombre d'axiomes qui permettent de définir quelles opérations sont possibles sur ces éléments. L'idée de considérer la langue comme un ensemble de ce genre, et donc d'introduire le concept de structure en linguistique, semble être venue pour la première fois à l'esprit du linguiste suisse Ferdinand de Saussure (1857-1913), dont l'influence sur toutes les sciences humaines au xxᵉ siècle s'est révélée capitale. Repris par Roman Jakobson et les « formalistes » russes des années vingt puis, après le départ de ceux-ci en exil, par le cercle de Prague, le structuralisme linguistique s'est rapidement diffusé à des domaines voisins : analyse des textes littéraires, description des contes populaires, des rituels et du folklore et enfin, grâce à la rencontre à New York de Roman Jakobson et de Claude Lévi-Strauss durant la Seconde Guerre mondiale, ethnologie.

L'étude des *Structures élémentaires de la parenté* (titre de son premier grand ouvrage), puis celle des mythes amérindiens ont constitué, comme on le sait, le cœur de l'œuvre ethnologique de Lévi-Strauss. Mais les idées de celui-ci ont également pénétré, en même temps que celles de Saussure ou de Jakobson, la psychanalyse. Jacques Lacan s'est le premier appuyé sur ces avancées théoriques pour relire les textes de Freud et reformuler leur sens profond, contre toutes les tentatives destinées à banaliser la psychanalyse en la psychiatrisant. Troisième grande « percée », enfin, du structuralisme, cette fois en direction de l'histoire, avec l'œuvre de Georges Dumézil : la découverte de la structure *tri-fonctionnelle* des idéologies et des religions indo-européennes est en effet ce qui a permis à Dumézil de s'affranchir définitivement – comme Lévi-

Strauss l'avait fait lui aussi dans son domaine – du vieil évolutionnisme cher au XIXᵉ siècle.

Faudrait-il en conclure que le structuralisme tende à nier l'importance de l'histoire? C'était là une polémique à la mode dans les années 1966-1968. Mais c'est aussi, derrière le débat journalistique, un problème et un enjeu fondamental pour les marxistes structuralistes, dont le chef de file est resté, jusqu'au seuil des années quatre-vingt, Louis Althusser. En même temps que Lacan prêche le retour à Freud contre les déviations psychiatriques ou jungiennes de la psychanalyse, Althusser prône le retour à Marx contre ces déviations du marxisme – d'ailleurs opposées entre elles – que constituent le stalinisme et l'humanisme. Instruit par la lecture lacanienne de Freud, Althusser élabore une lecture « symptômale » de Marx. Dans Marx, comme dans n'importe quel discours, il y a des « trous », des lapsus, des condensations, des déplacements. Marx ne dit pas toujours ce qu'il veut dire. Il convient donc de distinguer au moins deux Marx, le jeune et le vieux, et de récuser le premier – qui est kantien, hégélien de gauche, feuerbachien, mais pas encore marxiste – au profit du second. D'où l'accent mis, dans la lecture de Marx, sur les derniers ouvrages, sur *Le Capital*, sur l'économie politique, sur les formulations d'apparence lourdement scientifique, sur le matérialisme historique comme « science de l'histoire » et le matérialisme dialectique comme « science des sciences » – au détriment des ouvrages antérieurs de Marx, jugés trop « idéologiques », c'est-à-dire trop philosophiques. D'où, enfin, l'intérêt tout particulier d'Althusser pour l'épistémologie, intérêt qui l'a porté vers un certain « théoricisme » dont il a fait, du reste, lui-même l'autocritique. Théoricisme peut-être excessif, en effet, mais qui a eu le mérite d'orienter de nombreux jeunes chercheurs dans une voie – la philosophie des sciences – qui, malgré les travaux d'Alexandre Koyré, de Jean Cavaillès et de Georges Canguilhem, a toujours exercé moins d'attrait sur la France que sur les pays anglo-saxons.

Le structuralisme des années soixante a fortement

marqué deux autres philosophes, d'une demi-généra-
tion plus jeunes qu'Althusser, Michel Foucault et
Michel Serres. Foucault n'a jamais été tenté ni par le
marxisme orthodoxe ni par le gauchisme utopique de
mai 1968. Sur le plan théorique, c'est même un
anti-marxiste, bien que sa perspective privilégie en
apparence la dimension historique des processus
sociaux. En fait, il a une conception très personnelle à
la fois de l'*objet* et de la *méthode* de l'histoire (de
l'histoire entendue comme philosophie, puisque Foucault récuse l'opposition philosophie-histoire). Dans la
mouvance de l'École des Annales et de l'histoire des
mentalités, Foucault s'intéresse à la fois aux phénomènes qui ne bougent que sur de longues durées et qui
échappent au regard de l'historiographie traditionnelle,
économique ou politique. Il a donc travaillé sur la
naissance de la médecine moderne, sur la représentation de la santé et de la folie, sur la formation des
systèmes médicaux, psychiatriques ou juridiques de
contrôle social, avant de s'intéresser, plus récemment, à
l'histoire de la sexualité. Dans chacun de ces domaines,
il a situé les vraies ruptures, déplacé les perspectives
conventionnelles, fait apparaître des configurations
épistémologiques insoupçonnées. L'importance de ce
travail explique son rayonnement dans le monde, et
particulièrement aux État-Unis.

Quant aux recherches de Michel Serres, on peut dire
qu'à l'heure où ces lignes sont écrites, elles sont presque
plus appréciées dans les universités américaines qu'en
France. Il est vrai qu'elles portent, elles aussi, sur un
domaine très particulier – les relations d'homologie
entre différents types de discours à l'intérieur d'une
formation culturelle donnée – et mettent en jeu une
méthode subtile, dont les rouages sont parfois difficiles
à démonter. Ses travaux tendent à montrer que les
œuvres philosophiques, littéraires et artistiques d'une
même époque peuvent s'analyser à partir de paradigmes scientifiques qui leur sont contemporains (et réciproquement). Serres – qui est un grand lecteur de
Dumézil – explique même comment certains textes

philosophico-religieux anticipent quelquefois les paradigmes construits par les savants contemporains. Dans ses derniers livres, il se rapproche à la fois du physicien Prigogine et de René Girard : tous trois s'efforcent de réconcilier science et poésie, de renouer une « nouvelle alliance », de prouver que la vérité ultime de l'univers peut être atteinte à travers des langages réputés incompatibles entre eux.

Mais ce faisant l'on s'éloigne déjà sensiblement de l'esprit structuraliste, demeuré aussi « positiviste » que l'exige l'objectivité, même dans les sciences humaines pourtant moins exigeantes à cet égard que ne le sont les sciences exactes. Cette grande « dérive » loin du structuralisme constitue d'ailleurs le seul caractère plus ou moins commun à toutes les attitudes philosophiques post-soixante-huitardes. Je me proposerai toutefois, par pure commodité, d'insister, plus que sur les ressemblances, sur les différences qui séparent ces démarches, et de classer celles-ci selon six principaux groupes.

Première famille : celle qui, par-delà l'expérience structuraliste, persiste à se rattacher à la grande tradition phénoménologique. Celle-ci n'a, du reste, jamais connu de véritable éclipse en France, comme en témoignent les travaux, échelonnés sur près de trente ans, d'*Emmanuel Lévinas* et de *Paul Ricœur*. Chez le premier, l'intérêt pour Husserl et Heidegger se conjugue à une connaissance très aiguë de la tradition talmudique et à une familiarité certaine avec des auteurs aussi différents que Martin Buber, Georges Bataille et Maurice Blanchot. Longtemps réservée à des cercles confidentiels, l'œuvre de Lévinas vient enfin de connaître, il y a peu, un succès mérité auprès d'un plus large public. Paul Ricœur, de son côté, a développé ses recherches dans trois directions successives : la philosophie de la volonté, la théorie de l'interprétation, l'analyse du récit. Sa fréquentation de la psychanalyse et de la linguistique, dont il maîtrise parfaitement les mécanismes, ne l'a pas empêché de se souvenir qu'il est d'abord philosophe : la question du temps reste, chez lui, la question centrale.

Elle le demeure également chez deux grands universitaires – ils ont tous deux enseigné pendant de nombreuses années à la Sorbonne – qui sont aussi deux moralistes : *Ferdinand Alquié* et *Vladimir Jankélévitch*. Encore que beaucoup de choses les séparent, il est tentant de voir en eux les représentants d'une autre famille d'esprit, celle qui, de Malebranche à Maine de Biran et à Bergson, fait résider la philosophie dans une interrogation perpétuelle portant sur les rapports de la métaphysique et de la morale. C'est en tout cas cette perspective qui prévaut dans les livres d'Alquié consacrés à l'histoire du cartésianisme, et plus encore dans ceux de Jankélévitch qui – tout comme Lévinas – a bénéficié lui aussi, ces dernières années, d'un regain d'intérêt bien mérité de la part d'un public jeune et nombreux. Pensée fluide, mobile, proche de la parole vivante, la pensée de Jankélévitch est, d'une certaine manière, dominée par le souci d'épouser, dans ce qu'elle a de plus insaisissable et de plus essentiel, notre expérience intime du temps.

Par opposition à ces deux familles qui, en réalité, n'ont jamais cessé d'occuper une partie du terrain philosophique français – surtout à l'intérieur de l'Université –, on a vu apparaître, immédiatement après 1968, un troisième courant, animé par des personnalités fort différentes entre elles, mais qui avaient en commun une certaine manière de revaloriser la problématique du désir, et donc de se réclamer de Spinoza, de Nietzsche ou de Freud. Le représentant le plus indiscutable de ce courant est Gilles Deleuze, dont l'*Anti-Œdipe* (1972), rédigé en collaboration avec Félix Guattari, reste l'un des maîtres livres de ces quinze dernières années. Deleuze est en réalité plus spinoziste que freudien : au lieu de définir le désir par le manque, ainsi que font ordinairement les psychanalystes, il le considère comme une réalité positive, une force dynamique, l'essence de toute activité et de tout devenir. Bien plus, il montre que le désir investit aussi bien le champ social et politique que l'être individuel, et s'attache à définir les figures historiques dans lesquelles il se déploie. Ce livre difficile, dont Deleuze n'a cessé depuis lors d'approfondir les intuitions maîtresses, contient sans doute beaucoup d'autres idées dont la force reste encore à mesurer.

Proche de Deleuze, *Jean-François Lyotard* est parti d'une double réflexion, sur l'art et sur la politique, qui l'a amené à une « économie libidinale » à l'intérieur de laquelle la notion de désir (libido) est également centrale. Mais Lyotard, à la différence de Deleuze, n'a pas cherché à reconstruire, fût-ce à travers quelques grandes figures théoriques, l'histoire de l'humanité. Sa méfiance vis-à-vis des grandes systématisations, liée à son rejet du marxisme, le conduit plutôt, dans ses travaux récents, vers une microphilosophie centrée sur l'interrogation du langage ordinaire.

René Girard est lui aussi un penseur du désir, mais en un sens fort différent. Professeur de français, ayant enseigné toute sa vie aux États-Unis, il aborde l'analyse des textes littéraires, mythologiques ou religieux, sans s'encombrer d'aucun a priori sémiologique ou psychanalytique. Convaincu que les grands textes disent toujours quelque chose d'important sur la nature humaine, il s'efforce de montrer que la nature mimétique du désir est à l'origine de tous les conflits humains et que ceux-ci ne peuvent être résolus que par une procédure d'expulsion – le mécanisme de la victime émissaire – qui s'apparente à une pratique sacrificielle. *La Violence et le Sacré* (1972) est aussi, de ce point de vue, un des livres importants de ces dernières années.

Parallèlement à ces philosophies du désir, quoique fort loin d'elles, les philosophies du langage ont pris, elles aussi, un essor singulier après 1968. Très vite, en effet, il est apparu que ni la linguistique ni la psychanalyse n'épuisaient, malgré leur technicité apparente, les problèmes relatifs à l'usage de la parole. La découverte – tardive en France – de Wittgenstein, ainsi qu'un début d'ouverture – encore insuffisant – en direction de la philosophie anglo-saxonne, ce continent si mal connu des penseurs français, ont donc amené un renouveau d'intérêt pour les questions logico-linguistiques qu'illustrent, entre autres, les travaux de *Jacques Bouveresse*, de *Vincent Descombes* ou du dernier Lyotard. Les recherches de ces auteurs restent malheureusement encore trop marginales, sans doute parce que l'Université française continue de privilégier des manières plus traditionnelles d'enseigner, ou même de concevoir l'activité philosophique.

Par ailleurs, l'apport de la linguistique structurale n'a pas suscité que des enthousiasmes spontanés. N'est-il pas évident que la moderne « science du langage », même si elle peut relancer la réflexion des philosophes dans les directions intéressantes, n'en reste pas moins prise, comme le structuralisme tout entier, dans une « métaphysique du signe » d'origine platonicienne? C'est ce qu'ont bien montré *Jacques Derrida* et, dans sa foulée, toute une autre « famille » de chercheurs dont on pourrait rassembler les activités sous le titre de « critique des philosophies du signifiant ». L'entreprise de Derrida, dont le livre-manifeste reste *De la grammatologie* (1967) se présente explicitement comme une tentative de déconstruction de la théorie classique de la représentation. Cette tentative s'appuie, dans sa démarche prudente, sur les derniers écrits de Heidegger, mais aussi sur ceux de Freud, dont Derrida fait « travailler » les concepts d'une manière évidemment paradoxale au regard de la psychanalyse orthodoxe. Également proche, par certains côtés de Lévinas et de Blanchot, Derrida poursuit son chemin théorique sans concessions, tout en consacrant une part importante de son activité à la réalisation de projets novateurs en matière de pédagogie de la philosophie (GREPH, états généraux, Collège international de philosophie).

La sixième et dernière famille d'esprits se situe assez loin des cinq autres, dans un champ qui semble quelque peu déserté par la plupart des théoriciens contemporains : celui de la réflexion politique. Il est clair, en effet, que la terreur stalinienne puis la « révélation » du goulag soviétique ainsi que la découverte du fait que le socialisme « réel » des pays de l'Est était fort éloigné du projet communiste originel, ont grandement contribué à créer un état de désenchantement chez nombre d'intellectuels occidentaux, que l'expérience de la Résistance, ou celle des luttes de libération du tiers monde avaient d'abord portés vers le marxisme. De la désillusion par rapport au communisme à la désillusion par rapport à toute activité politique en général, il n'y a qu'un pas... Mais tous ne l'ont pas franchi. Dès la fin des années cinquante et le début des années soixante, quelques intellectuels français se regroupaient dans « Socialisme ou barbarie », ou autour de la revue *Arguments* pour essayer de faire avancer un projet politique d'inspiration anticapitaliste, mais également antistalinienne. *Kostas Axelos*, Cornélius Castoriadis et Claude Lefort sont issus de ce moment historique, mais il leur a fallu attendre les années soixante-dix pour que leurs idées soient vraiment entendues du grand nombre. Plus jeune, Pierre Clastres aujourd'hui disparu est un peu leur héritier : ses recherches sur l'absence d'État dans les société primitives n'ont pas fini d'alimenter la réflexion politique au niveau le plus fondamental. Quant à *Jacques Rancière*, son évolution s'est faite plus récemment, mais cet ancien disciple d'Althusser a lui aussi abandonné les certitudes du marxisme orthodoxe pour interroger, de manière plus problématique et beaucoup plus enrichissante, l'histoire du mouvement ouvrier et de ses révoltes.

Cette rapide évocation d'un courant philosophico-politique qui est aujourd'hui en pleine activité ne serait pas complète si l'on n'y rattachait pas le succès, quelque peu renforcé par la mode, de la prétendue « nouvelle philosophie ». Celle-ci, comme toutes les chapelles, n'a d'ailleurs pas tardé à se dissiper au profit de l'émergence de personnalités singulières. Bernard-Henri Lévy et *André Glucksmann* se consacrent aujourd'hui à la poursuite de leur œuvre personnelle, en liaison avec des activités pratiques qui relèvent d'un « militantisme » de type nouveau, au service des « droits de l'homme » et en principe indépendant des partis de gauche.

L'actuelle popularité de ces deux derniers auteurs,

comparativement plus grande que celle des autres que nous avons cités ici, ne va pas, évidemment, sans susciter quelques interrogations sur la définition et le statut de ce qu'on appelle, aujourd'hui, un « intellectuel ». Celui-ci doit-il avoir une activité publique? Et si oui, de quel type? Quels engagements politiques sont-ils compatibles avec le métier – ou la vocation – de philosophe? Y a-t-il, d'ailleurs, une différence entre intellectuel et philosophe? Et si oui, quelle peut être, ou quelle doit être la position de l'un et de l'autre par rapport aux médias? Faut-il se soucier d'être entendu? Et si oui, que peut-on – ou que doit-on – dire pour cela...?

Toutes ces questions, et bien d'autres de ce genre, ne se posaient presque pas il y a une cinquantaine d'années. Elles ne se posent pas, encore aujourd'hui, dans beaucoup de pays, soit parce que la liberté de les poser y fait défaut, soit parce que la philosophie y reste une activité purement académique et minoritaire. Le fait qu'elles se soient imposées, en France, durant ces quinze dernières années, constitue donc un phénomène relativement singulier.

Christian DELACAMPAGNE

PROLOGUE

Les entretiens qui figurent dans ce livre correspondent à un genre journalistique aux règles bien établies : il consiste à questionner, à l'intention du grand public, un spécialiste connu par ses titres et ses travaux.

Mais la philosophie ne se laisse pas enfermer aisément dans ces conventions. Et aucune autorité – qu'elle soit académique, corporative, éditoriale ou médiatique – ne peut se targuer d'être habilitée à décerner le label de « philosophe ». C'est pourquoi nous ouvrons cet ouvrage avec deux conversations échappant à ces critères de légitimation. L'une avec un philosophe renommé s'exprimant de façon anonyme. Ainsi les propos qu'il tient ne courront pas le risque d'être biaisés par l'aura qui s'attache à son nom. La seconde avec un philosophe volontairement obscur – sans grade ni réputation – qui considère que la philosophie ne peut s'exercer que dans la solitude et à l'écart de toutes les institutions.

Le philosophe masqué

« Pourquoi l'anonymat? Par nostalgie du temps où, étant tout à fait inconnu, ce que je disais avait quelques chances d'être entendu. »

– Permettez-moi de vous demander d'abord pour-quoi vous avez choisi l'anonymat?

– Vous connaissez l'histoire de ces psychologues qui étaient venus présenter un petit film-test dans un village du fin fond de l'Afrique. Ils demandent ensuite aux spectateurs de raconter l'histoire comme ils l'avaient comprise. Eh bien, dans cette anecdote avec trois personnages, une seule chose les avait intéressés : le passage des ombres et des lumières à travers les arbres.

« Chez nous, les personnages font la loi à la percep-tion. Les yeux se portent avec prédilection sur les figures qui vont et viennent, surgissent et disparais-sent.

« Pourquoi vous ai-je suggéré que nous utilisions l'anonymat? Par nostalgie du temps où, étant tout à fait inconnu, ce que je disais avait quelques chances d'être entendu. Avec le lecteur éventuel, la surface de contact était sans ride. Les effets du livre rejaillissaient en des lieux imprévus et dessinaient des formes auxquelles je n'avais pas pensé. Le nom est une faci-lité.

« Je proposerai un jeu : celui de l' " année sans nom ". Pendant un an, on éditerait des livres sans nom d'auteur. Les critiques devraient se débrouiller avec une production entièrement anonyme. Mais, j'y songe, peut-être n'auraient-ils rien à dire : tous les auteurs attendraient l'année suivante pour publier leurs livres... »

– Pensez-vous que les intellectuels, aujourd'hui, parlent trop? Qu'ils nous encombrent de leurs dis-cours à tout propos et plus souvent hors de pro-pos?

– Le mot d'intellectuel me paraît étrange. D'intel-lectuels, je n'en ai jamais rencontré. J'ai rencontré des gens qui écrivent des romans, et d'autres qui soignent des malades. Des gens qui font des études économiques et d'autres qui composent de la musique électronique. J'ai rencontré des gens qui enseignent, des gens qui peignent et des gens dont je n'ai pas bien compris s'ils faisaient quoi que ce soit. Mais d'intellectuels, jamais.

« En revanche, j'ai rencontré beaucoup de gens qui parlent de l'intellectuel. Et, à force de les écouter, je me suis fait une idée de ce que pouvait être cet animal. Ce n'est pas difficile, c'est celui qui est coupable. Coupable d'un peu tout : de parler, de se taire, de ne rien faire, de se mêler de tout... Bref, l'intellectuel, c'est la matière première à verdict, à sentence, à condamnation, à exclusion...

« Je ne trouve pas que les intellectuels parlent trop, puisqu'ils n'existent pas pour moi. Mais je trouve qu'est bien envahissant le discours sur les intellectuels et pas très rassurant.

« J'ai une fâcheuse manie. Quand les gens parlent, comme ça, en l'air, j'essaie d'imaginer ce que ça donnerait transcrit dans la réalité. Quand ils " critiquent " quelqu'un, quand ils " dénoncent " ses idées, quand ils " condamnent " ce qu'il écrit, je les imagine dans la situation idéale où ils auraient tout pouvoir sur lui. Je laisse retourner jusqu'à leur sens premier les mots qu'ils emploient : " démolir ", " abattre ", " réduire au silence ", " enterrer ". Et je vois s'entrouvrir la radieuse cité où l'intellectuel serait en prison et pendu, bien sûr, s'il était, en outre, théoricien. C'est vrai, nous ne sommes pas dans un régime où on envoie les intellectuels à la rizière; mais, au fait, dites-moi, vous avez entendu parler d'un certain Toni Negri? Est-ce que, lui, il n'est pas en prison en tant qu'intellectuel [1]? »

– *Alors, qu'est-ce qui vous a conduit à vous retrancher derrière l'anonymat? Un certain usage publicitaire que des philosophes, aujourd'hui, font ou laissent faire de leur nom?*
– Cela ne me choque pas du tout. J'ai vu dans les couloirs de mon lycée des grands hommes en plâtre. Et maintenant je vois au bas de la première page des journaux la photographie du penseur. Je ne sais si

l'esthétique s'est améliorée. La rationalité économique, elle, sûrement...

« Au fond, me touche beaucoup une lettre que Kant avait écrite quand il était déjà fort vieux : il se dépêchait, raconte-t-il, contre l'âge et la vue qui baisse, et les idées qui se brouillent, de terminer un de ses livres pour la Foire de Leipzig. Je raconte ça pour montrer que ça n'a aucune importance. Publicité ou pas, foire ou pas, le livre est autre chose. On ne me fera jamais croire qu'un livre est mauvais parce qu'on a vu son auteur à la télévision. Mais jamais non plus qu'il est bon pour cette seule raison.

« Si j'ai choisi l'anonymat, ce n'est donc pas pour critiquer tel ou tel, ce que je ne fais jamais. C'est une manière de m'adresser plus directement à l'éventuel lecteur, le seul personnage ici qui m'intéresse : " Puisque tu ne sais pas qui je suis, tu n'auras pas la tentation de chercher les raisons pour lesquelles je dis ce que tu lis; laisse-toi aller à te dire tout simplement : c'est vrai, c'est faux. Ça me plaît, ça ne me plaît pas. Un point c'est tout ". »

– Mais le public n'attend-il pas de la critique qu'elle lui fournisse des appréciations précises sur la valeur d'une œuvre?

– Je ne sais pas si le public attend ou non que le critique juge les œuvres ou les auteurs. Les juges étaient là, je crois, avant qu'il ait pu dire ce dont il avait envie.

« Il paraît que Courbet avait un ami qui se réveillait la nuit en hurlant : " Juger, je veux juger. " C'est fou ce que les gens aiment juger. Ça juge partout, tout le temps. Sans doute est-ce une des choses les plus simples qui soient données à l'humanité de faire. Et vous savez bien que le dernier homme, lorsque enfin l'ultime radiation aura réduit en cendres son dernier adversaire, prendra une table bancale, s'installera derrière et commencera le procès du responsable.

« Je ne peux m'empêcher de penser à une critique qui ne chercherait pas à juger, mais à faire exister une

24

œuvre, un livre, une phrase, une idée; elle allumerait des feux, regarderait l'herbe pousser, écouterait le vent et saisirait l'écume au vol pour l'éparpiller. Elle multiplierait non les jugements, mais les signes d'existence; elle les appellerait, les tirerait de leur sommeil. Elle les inventerait parfois? Tant mieux, tant mieux. La critique par sentence m'endort; j'aimerais une critique par scintillements imaginatifs. Elle ne serait pas souveraine, ni vêtue de rouge. Elle porterait l'éclair des orages possibles. »

– *Alors, il y a tant de choses à faire connaître, tant de travaux intéressants, que les médias devraient parler tout le temps de philosophie...*
– Il est certain qu'il y a un malaise traditionnel entre la « critique » et ceux qui écrivent des livres. Les uns se sentent mal compris et les autres croient qu'on veut les tenir à la botte. Mais cela, c'est le jeu.

« Il me semble qu'aujourd'hui la situation est assez particulière. Nous avons des institutions de pénurie, alors que nous sommes dans une situation de surabondance.

« Tout le monde a remarqué l'exaltation qui accompagne souvent la publication (ou la réédition) d'ouvrages d'ailleurs parfois intéressants. Ils ne sont jamais moins que la " subversion de tous les codes ", le " contre-pied de la culture contemporaine ", la " mise en question radicale de toutes nos manières de penser ". Son auteur doit être un marginal méconnu.

« Et en contrepartie, il faut bien sûr que les autres soient renvoyés à la nuit dont ils n'auraient jamais dû sortir; ils n'étaient que l'écume d' " une mode dérisoire ", un simple produit de l'institution, etc.

« Phénomène parisien, dit-on, et superficiel. J'y perçois plutôt les effets d'une inquiétude profonde. Le sentiment du " pas de place ", " lui ou moi ", " chacun son tour ". On est en file indienne à cause de l'extrême exiguïté des lieux où on peut écouter et se faire entendre.

« De là une sorte d'angoisse qui fuse dans mille

symptômes, plaisants ou moins drôles. De là, chez ceux qui écrivent, le sentiment de leur impuissance devant les médias, auxquels ils reprochent de régir le monde des livres et de faire exister ou disparaître ceux qui leur plaisent ou leur déplaisent. De là aussi, le sentiment chez les critiques qu'ils ne se feront pas entendre, à moins de hausser le ton et de sortir de leur chapeau, chaque semaine, un lapin. De là encore une pseudo-politisation, qui masque sous la nécessité de mener le " combat idéologique " ou de débusquer les " pensées dangereuses ", la profonde anxiété de n'être ni lu ni entendu. De là encore la phobie fantastique du pouvoir : toute personne qui écrit exerce un inquiétant pouvoir auquel il faut tâcher de poser sinon un terme, du moins des limites. De là également l'affirmation un peu incantatoire que tout, actuellement, est vide, désolé, sans intérêt ni importance : affirmation qui vient évidemment de ceux qui, ne faisant rien eux-mêmes, trouvent que les autres sont de trop. »

– *Ne croyez-vous pas, pourtant, que notre époque manque réellement d'esprits qui soient à la mesure de ses problèmes, et de grands écrivains?*
– Non, je ne crois pas à la ritournelle de la décadence, de l'absence d'écrivains, de la stérilité de la pensée, de l'horizon bouché et morne.

« Je crois au contraire qu'il y a pléthore. Et que nous ne souffrons pas du vide, mais du trop peu de moyens pour penser tout ce qui se passe. Alors qu'il y a une abondance de choses à savoir : essentielles ou terribles, ou merveilleuses, ou drôles, ou minuscules et capitales à la fois. Et puis il y a une immense curiosité, un besoin, ou un désir de savoir. On se plaint toujours que les médias bourrent la tête des gens. Il y a de la misanthropie dans cette idée. Je crois au contraire que les gens réagissent; plus on veut les convaincre, plus ils s'interrogent. L'esprit n'est pas une cire molle. C'est une substance réactive. Et le désir de savoir plus, et mieux, et autre chose croît à mesure qu'on veut bourrer les crânes.

« Si vous admettez cela, et si vous ajoutez qu'il se forme à l'université et ailleurs une foule de gens qui peuvent servir d'échangeurs entre cette masse de choses et cette avidité à savoir, vous en déduirez vite que le chômage des étudiants est la chose la plus absurde qui soit. Le problème est de multiplier les canaux, les passerelles, les moyens d'information, les réseaux de télévision et de radio, les journaux.

« La curiosité est un vice qui a été stigmatisé tour à tour par le christianisme, par la philosophie et même par une certaine conception de la science. Curiosité, futilité. Le mot, pourtant, me plaît; il me suggère tout autre chose : il évoque le " souci "; il évoque le soin qu'on prend de ce qui existe et pourrait exister; un sens aiguisé du réel mais qui ne s'immobilise jamais devant lui; une promptitude à trouver étrange et singulier ce qui nous entoure; un certain acharnement à nous défaire de nos familiarités et à regarder autrement les mêmes choses; une ardeur à saisir ce qui se passe et ce qui passe; une désinvolture à l'égard des hiérarchies traditionnelles entre l'important et l'essentiel.

« Je rêve d'un âge nouveau de la curiosité. On en a les moyens techniques; le désir est là; les choses à savoir sont infinies; les gens qui peuvent s'employer à ce travail existent. De quoi souffre-t-on? Du trop peu : de canaux étroits, étriqués, quasi monopolistiques, insuffisants. Il n'y a pas à adopter une attitude protectionniste, pour empêcher la " mauvaise " information d'envahir et d'étouffer la " bonne ". Il faut plutôt multiplier les chemins et les possibilités d'allées et venues. Pas de colbertisme en ce domaine! Ce qui ne veut pas dire, comme on le craint souvent, uniformisation et nivellement par le bas. Mais au contraire différenciation et simultanéité des réseaux différents. »

– *J'imagine qu'à ce niveau les médias et l'Université, au lieu de continuer à s'opposer, pourraient se mettre à jouer des rôles complémentaires.*
– Vous vous souvenez du mot admirable de Sylvain Lévi : l'enseignement, c'est lorsqu'on a un auditeur; dès

qu'on en a deux, c'est de la vulgarisation. Les livres, l'Université, les revues savantes, ce sont aussi des médias. Il faudrait se garder d'appeler média tout canal d'information auquel on ne peut ou ne veut avoir accès. Le problème c'est de savoir comment faire jouer les différences; c'est de savoir s'il faut instaurer une zone réservée, un « parc culturel » pour les espèces fragiles des savants menacés par les grands rapaces de l'information, tandis que tout le reste de l'espace serait un vaste marché pour les produits de pacotille. Un tel partage ne me paraît pas correspondre à la réalité. Pire : n'être pas du tout souhaitable. Pour que jouent les différenciations utiles, il ne faut pas qu'il y ait de partage.

– *Risquons-nous à faire quelques propositions concrètes. Si tout va mal, par où commencer?*

– Mais non, tout ne va pas mal. En tout cas, je crois qu'il ne faut pas confondre la critique utile contre les choses, avec les jérémiades répétitives contre les gens. Quant aux propositions concrètes, elles ne peuvent apparaître que comme des gadgets, si ne sont pas admis d'abord quelques principes généraux. Et avant tout celui-ci : que le droit au savoir ne doit pas être réservé à un âge de la vie et à certaines catégories d'individus; mais qu'on doit pouvoir l'exercer sans arrêt et sous des formes multiples.

– *Est-ce qu'elle n'est pas ambiguë cette envie de savoir? Au fond, qu'est-ce que les gens vont faire de tout ce savoir qu'ils vont acquérir? À quoi cela pourra-t-il leur servir?*

– Une des fonctions principales de l'enseignement était que la formation de l'individu s'accompagne de la détermination de sa place dans la société. Il faudrait le concevoir aujourd'hui de telle façon qu'il permette à l'individu de se modifier à son gré, ce qui n'est possible qu'à la condition que l'enseignement soit une possibilité offerte « en permanence ».

– *En somme vous êtes pour une société savante?*
– Je dis que le branchement des gens sur la culture doit être incessant et aussi polymorphe que possible. Il ne devrait pas y avoir d'une part cette formation qu'on subit, et de l'autre cette information à laquelle on est soumis.

– *Que devient dans cette société savante la philosophie éternelle?... A-t-on encore besoin d'elle, de ses questions sans réponse et de ses silences devant l'inconnaissable?*
– La philosophie, qu'est-ce que c'est sinon une façon de réfléchir non pas tellement sur ce qui est vrai et sur ce qui est faux, mais sur notre rapport à la vérité? On se plaint parfois qu'il n'y ait pas de philosophie dominante en France. Tant mieux. Pas de philosophie souveraine, c'est vrai, mais une philosophie ou plutôt de la philosophie en activité. C'est de la philosophie que le mouvement par lequel, non sans efforts et tâtonnements et rêves et illusions, on se détache de ce qui est acquis pour vrai et qu'on cherche d'autres règles de jeu. C'est de la philosophie que le déplacement et la transformation des cadres de pensée, la modification des valeurs reçues et tout le travail qui se fait pour penser autrement, pour faire autre chose, pour devenir autre que ce qu'on est. De ce point de vue, c'est une période d'activité philosophique intense que celle des trente dernières années. L'interférence entre l'analyse, la recherche, la critique « savante » ou « théorique » et les changements dans le comportement, la conduite réelle des gens, leur manière d'être, leur rapport à eux-mêmes et aux autres a été constante et considérable.

« Je disais à l'instant que la philosophie était une manière de réfléchir sur notre relation à la vérité. Il faut compléter; elle est une manière de se demander : si tel est le rapport que nous avons à la vérité, comment devons-nous nous conduire? Je crois qu'il s'est fait et qu'il se fait toujours actuellement un travail considérable et multiple, qui modifie à la fois notre lien à la vérité et notre manière de nous conduire. Et ceci dans une conjonction complexe entre toute une série de recherches et tout un ensemble de mouvements sociaux. C'est la vie même de la philosophie.

« On comprend que certains pleurent sur le vide actuel et souhaitent, dans l'ordre des idées, un peu de monarchie. Mais ceux qui, une fois dans leur vie, ont trouvé un ton nouveau, une nouvelle manière de regarder, une autre façon de faire, ceux-là, je crois, n'éprouveront jamais le besoin de se lamenter que le monde est erreur, l'histoire encombrée d'inexistences, et il est temps que les autres se taisent pour qu'enfin on n'entende plus le grelot de leur réprobation... »

Christian DELACAMPAGNE,
6 avril 1980.

---

1. Philosophe italien, ex-professeur à l'université de Padoue, maître à penser du mouvement d'extrême-gauche Autonomie ouvrière. A fait quatre ans et trois mois de détention préventive pour insurrection armée contre l'État, association subversive et constitution de bandes armées. A été libéré le 8 juillet 1983, après avoir été élu député radical pendant son incarcération. Son immunité parlementaire ayant été levée par la Chambre des députés, de nouveaux mandats d'arrêt ont été lancés contre lui et il s'est réfugié en France.

René Garrigues

« Le philosophe moderne doit être un paria, un raté, et ce serait un bien mauvais signe pour lui d'être couvert de gloire. »

René Garrigues a édité lui-même, en 1979, un recueil intitulé Leçons de philosophie pour une révolution culturelle *qui fit quelque bruit aux États généraux de la philosophie réunis à la Sorbonne la même année. Il y retrace ses pérégrinations au sein d'une institution universitaire à laquelle il ne ménage pas ses critiques. Il y livre quelques dissertations-modèles, sur des sujets tels que « la négligence » ou « l'immonde ». Il consacre également un remarquable exposé critique à la notion de nature humaine, qui lui donne l'occasion de discuter Marx et de faire l'éloge de Freud... comme poète.*

Il y joint une lettre aux correcteurs du CAPES où l'on peut lire notamment ceci : « A la fin, j'en viens à me demander, Messieurs, ce qui se passerait si ce même Platon venait à se présenter au concours du CAPES, à supposer qu'il vous expose pour la première fois les éléments de son idéalisme. Je me demande si, dans votre commentaire, vous ne lui signifieriez pas que sa thèse des objets mathématiques immatériels, et cependant plus réels que l'arbre auquel on se cogne, est tout à fait farfelue et hors du sens commun. Ne dites pas, je vous en conjure, *Platon c'est Platon et vous c'est vous,* car c'est le plus mauvais service à rendre à un penseur que de l'isoler sur un piédestal et d'interdire à quiconque de chercher tout au moins à l'imiter. N'est-ce pas justement pour avoir considéré Platon comme un objet d'études, et non point comme un maître aimé dont on souhaite être le disciple, que la plupart des étudiants que vous avez distingués au concours vont se révéler d'une incuriosité intellectuelle affligeante?... Messieurs les correcteurs, quelle que soit votre indignation à la lecture de cette lettre, j'espère que vous observerez tout au moins la haute tenue morale dont elle fait preuve à une époque où chaque candidat essaie comme il peut de flatter l'autorité qui décide, et que vous honorerez le mépris dans lequel je tiens mes propres intérêts. » *Cette lettre, signale l'auteur en note, est restée sans réponse. René Garrigues, qui est membre du comité de rédaction de la revue* Liberté de l'esprit, *est aussi l'auteur d'un* Essai pour fonder une morale et une politique sur la poétique de Jean-Sébastien Bach et de Brueghel l'ancien. *A part cela? Il est « pion » – il tient au mot – dans une ville moyenne du centre de la France. Selon lui, le philosophe est nécessairement en marge, hors système, déplacé.*

« Il sied, *écrit-il,* à un philosophe d'occuper un poste en retrait. Un philosophe est la mauvaise conscience honteuse d'une société. Il me semble que le philosophe moderne doit être un paria, un raté, et que ce serait bien mauvais signe pour lui d'être couvert de gloire. »

– *Vous avez eu des démêlés avec l'institution universitaire?*

– Moi? Pas du tout. J'ai au contraire établi avec l'Université des relations régulières, et, j'ose le dire, exemplaires. Chaque année, rituellement, je passe l'agrégation. Ce jour-là, je me lève à cinq heures du matin. Je me rends en voiture, en écoutant le *Clavecin bien tempéré*, à Clermont-Ferrand : c'est le mois de mai, la route à travers l'Auvergne est magnifique. J'arrive dans la ville fraîche, matinale, remplie de fleurs. Pour ce qui est de l'épreuve elle-même, j'ai maintenant une grande habitude. En moins de deux heures, j'ai rédigé ma copie. Je quitte la salle et je vais me recueillir à Notre-Dame-du-Port, une merveilleuse église romane. Ensuite, je fais l'ascension du puy Pariou, avant de descendre au fond du cratère goûter quelques instants d'exquise solitude. Chaque année donc, je revis cette journée-type. J'espère bien accomplir ce rite régénérateur jusqu'à ma retraite. La dissertation me donne aussi l'occasion d'exprimer une opinion critique qui devra être prise en considération par des lecteurs informés, qui devront justifier leur appréciation. Mon problème est justement que je manque un peu de lecteurs, je crois avoir trouvé un moyen de m'en procurer qui n'est pas déloyal.

« Un simple fait montre que les choses sont faites sérieusement à l'Université. Quand j'ai commencé mes études, il y a plus de vingt ans, j'avais des seize sur vingt. Depuis, très régulièrement, je suis descendu jusqu'à un sur vingt. L'an dernier, curieusement, je suis un peu remonté. Cela m'inquiéterait presque. »

– *Et si jamais vous étiez reçu?...*

– A vrai dire, je n'y tiens pas démesurément. Je n'ai pas cherché à profiter du plan d'intégration des adjoints d'enseignement. Je ne pense pas qu'en enseignant je pourrais mieux satisfaire ma passion. Dans le système universitaire prévaut cette conception hydraulique de la transmission du savoir que Socrate raille dans *Le Banquet*, quand Agathon se place auprès de lui, espérant bénéficier d'un effet de vases communicants, pensant enrichir ses connaissances par la simple proximité. Qu'est-ce aujourd'hui que le professeur? Un meuble parlant, intarissable et doux, rival disgracié de la télévision. L'institution s'emploie à recruter ceux qui sont les plus dénués d'inventivité. Attention! je ne dis pas des fainéants ou des imbéciles, ce serait tout à fait injuste. Mais le critère de l'institution, et c'est bien normal, c'est la soumission. J'ai longtemps observé les mœurs de l'étudiant. Eh bien, j'ai le regret de dire que l'étudiant est un fayot. Un fayot qui se mue en terne professeur. On me dit : il faut jouer le jeu pendant le temps nécessaire, ensuite on récupère sa liberté. Je réponds : quand on a courbé l'échine pendant des années, on a contracté une voussure, et on ne peut plus se redresser.

– *Mais ne souffrez-vous pas des circonstances dans lesquelles vous vous êtes placé?*

– Je vis dans une solitude intellectuelle à peu près complète, mais serait-ce différent ailleurs? Le lycée est le désert de l'habitude. Je vois sourdre l'ennui des murailles. De surcroît, il y a désormais une emprise croissante de l'administration, en fait une véritable caporalisation. Un proviseur, dorénavant, c'est souvent un adjudant qu'on place au-dessus des capitaines : c'est une pure créature de la hiérarchie, qui le manipule à son gré, alors qu'un agrégé, par exemple, serait moins malléable.

– *Voilà que vous faites l'éloge des agrégés...*

– Je n'oublie pas l'étymologie : agrégé, c'est-à-dire qui est rentré, *ad,* dans le troupeau, *grex*... Mais je ne pense pas me contredire en suggérant qu'un agrégé est préférable à un adjudant. Je vais vous donner un petit exemple. Le proviseur d'un lycée que je connais bien a déclaré que ce serait jeter l'argent par les fenêtres que d'organiser des cours de grec. Vous me direz que le président Pompidou, qui était agrégé, avait prétendu pour sa part que le grec devait être réservé aux érudits.

Eh bien, je ne vous cacherai pas que j'ai un grief inexpiable envers le président Pompidou. Parler ainsi du grec, c'est pécher contre l'esprit... L'essentiel de ma formation a consisté dans l'apprentissage du grec. Pour moi, faire de la philosophie, c'est faire du grec.

— N'avez-vous pas parfois, tout de même, le sentiment que votre situation est étrange?
— Cette étrangeté me rassure. Je pense que, dans notre société, il ne peut y avoir de place pour le philosophe qui, s'il persiste, se retrouvera nécessairement sur une voie de garage. Voilà pourquoi j'ai pu considérer que la position de pion n'était pas la plus mauvaise. Je pouvais lire pendant les heures de permanence; les gamins n'étaient pas trop nombreux et ne faisaient pas trop de bruit. Cela a changé aussi. Mais je ne vais pas vous entretenir du problème de la surveillance dans les lycées...

— Pourriez-vous plutôt résumer en quelques mots votre itinéraire philosophique?
— J'ai commencé, je ne le nie pas, par être positiviste. A mes yeux, seule valait la raison analytique. L'idée d'intuition me paraissait irrecevable. Et je ne faisais pas de distinction entre le tout et la somme des parties. J'étais alors très influencé par un auteur injustement oublié : Julien Benda. Je me fondais sur un de ses aphorismes provocateurs, suivant lequel « il n'y a pas de science du tout », entendez de la totalité. Mais aujourd'hui des auteurs comme Prigogine, Edgar Morin ou Philippe Lebreton décrivent en termes scientifiques des systèmes qui se comportent comme des touts. . L'approche globale apparaît non seulement comme possible, mais comme nécessaire.

« Je vais vous dire quelque chose qui vous paraîtra peut-être aberrant : pour moi, la forme moderne de la philosophie, c'est l'écologie. Faisons un peu de grec : écologie vient d'*oikos,* la maison, le cadre de vie, que nous devons gérer non dans le détail, mais de manière synthétique.

« Pour moi, la philosophie peut se définir comme une approche globale des problèmes, permettant de dégager des règles d'action. Je ne suis peut-être plus positiviste comme je l'ai été, mais je pense toujours, sans vouloir trahir le grec, que la philosophie n'est pas tant amour de la sagesse qu'amour de la science.

« La réflexion écologique met en évidence le caractère illusoire de la rationalité économique qui domine de nos jours. L'économie est incapable de définir son objet, la richesse autrement que par le jeu de l'offre et de la demande. Donc la drogue, qui s'achète et qui se vend, est une richesse, tandis que la couche d'ozone n'en est pas une; peu importe si on la détruit; en termes marchands ce n'est pas une perte. On peut dire que l'économie n'est qu'une idéologie, ou plus simplement une conception d'abrutis qui s'est imposée à tout le monde, hélas. L'économie apparaît même comme la seule politique qui vaille. Je me situe à l'opposé de ce consensus : je me rallie à une écologie politique ou à une politique écologique. Au-delà des circonstances électorales, je pense que l'écologie ne permet pas seulement de faire face à l'immense problème de l'environnement mais répond aussi à des préoccupations philosophiques, politiques et morales. L'écologie prolonge la critique de l'économie politique qu'avait entreprise Marx.

« D'ailleurs, à propos de Marx, j'ai changé aussi. Je ne puis plus lui reprocher aujourd'hui, pas plus qu'à Hegel, d'avoir cherché à faire prévaloir le point de vue du tout, bien que l'on sache que le point de vue du tout risque fort de devenir totalitaire. Cela dit, j'ai de sérieux griefs envers Marx, comme envers Freud d'ailleurs... »

– *Vraiment? Pourriez-vous préciser lesquels?*
– Je ne laisse pas d'admirer Marx et Freud, qui sont les deux maîtres de la pensée moderne. Mais précisément je leur reproche d'avoir disqualifié la pensée et par là d'avoir démoralisé notre époque. Marx et Freud expliquent que notre pensée est toujours déterminée

par autre chose, par des conflits, sociaux ou individuels, qui ne sont pas de son ordre. En faisant de la pensée, finalement, une sorte de reflet, je crois qu'ils méconnaissent sa spécificité. La pensée est un organe miraculeux – je dis cela sans faire aucunement appel à l'idée de Dieu – qui renvoie à une expérience accumulée en des millions d'années. Elle constitue un principe d'ordre unique dans l'univers. Il suffit de songer que la pensée crée de l'information sans dépenser d'énergie, ou presque. C'est pourquoi je considère que le vieux Kant a raison contre Freud. Kant dit qu'il y a deux choses qui forcent son admiration : le ciel étoilé au-dessus de lui et la loi morale en lui. La loi morale, pour Kant, c'est à peu près la même chose que la Raison. Eh bien, Kant, ici, ne mérite pas les sarcasmes de Freud. Car ce qu'il appelle la Raison est, comme le cosmos, un prodige d'ordre, d'organisation. Et si l'on prive l'homme de ce qui le caractérise, cette capacité autonome de faire de l'ordre, eh bien, évidemment, on le démoralise. Je vais dire, si vous me le permettez, quelque chose de très réactionnaire : Freud a parlé certainement, à juste titre, du malaise dans la civilisation; mais, pour moi, il y a une part du malaise dans la civilisation qui s'appelle Sigmund Freud.

– *A Marx et à Freud, il semble que vous préfériez Bach et Brueghel...*
– Je ne voudrais pas vous paraître trop conservateur. Il y a pourtant un aveu que je dois vous faire : je suis élitiste. Je n'en suis pas fier, mais je pense, par exemple, que tout le monde n'est pas apte à faire de la philosophie, alors que la philosophie prétend à l'universel. Il y a là une contradiction odieuse, mais qu'on ne peut étudier. Par exemple, j'ai voulu apprendre le piano, pour jouer Bach. En quatre ans d'efforts, je suis tout juste arrivé à ânonner les *Inventions*.

« Je reviens à votre question. Je pense en effet qu'il y a des artistes exceptionnels, dont le travail donne des leçons de rigueur intellectuelle et morale. Ces leçons, ou si l'on veut ces principes philosophiques, sont précisément à dégager de leur œuvre. Par exemple, pour reprendre ce que nous disions tout à l'heure, quand Brueghel rassemble dans un tableau comme *La Journée sombre* des parties de paysage qui ne pourraient être associées pour la perception normale, qui ne peuvent coexister dans la vision ordinaire, eh bien, il crée de l'ordre. Par là il compense et même surcompense la perte qui se produit entre la réalité et la représentation. Si bien que l'œuvre en vient à se donner comme la véritable réalité, elle est habitée par l'être.

« Les principes que l'artiste met à l'œuvre dans sa tâche qui est toujours, en fait, de représenter le réel, sont de nature à éclairer l'action, à suggérer des idées morales. Des œuvres comme celles de Bach ou de Brueghel – par tempérament je suis un peu sectaire, on pourrait certainement en citer d'autres – ne doivent donc pas être abandonnées aux spécialistes. Elles recèlent des ressources qui n'ont pas encore été exploitées, et qui pourraient redonner confiance à l'homme moderne, contribuer à lui rendre foi en lui-même. »

François GEORGES,
3 mai 1981.

René Garrigues est né en 1940 à Paris.

Ouvrages

Leçons de philosophie pour une révolution culturelle.
Essai pour fonder une morale et une politique sur la poétique de Jean-Sébastien Bach et Brueghel l'Ancien. Cet ouvrage est en vente à la librairie des Presses universitaires de France, 49 boulevard Saint-Michel 75005 Paris. Il peut aussi être commandé directement à l'auteur : René GARRIGUES, lycée de Vichy – 03300 Cusset – 50 F.

EN GUISE D'HISTORIQUE...

Vincent Descombes

« Philosopher, c'est poser la question des commencements. »

Jeune philosophe, Vincent Descombes, qui participe au comité de rédaction de la revue Critique, *a publié* L'Inconscient malgré lui *et* Le Même et l'Autre. Quarante-cinq ans de philosophie française. *Dans cet ouvrage, qui sait éviter les obscurités autant que les facilités des vulgarisations hâtives, il délimite avec précision les enjeux qui ont animé la scène philosophique française depuis les années trente. Il aide à se repérer dans les maquis de la phénoménologie, de l'humanisme ou des philosophies du désir. Mais ce n'est pas qu'un inventaire, car cet ouvrage s'avère capable de provoquer la discussion d'une philosophie qui vit au présent.*

– *Dans* Quarante-cinq ans de philosophie française, *votre panorama commence avec la venue en France de Kojève, cet immigré russe passé par Berlin, qui introduisit Hegel en France. Quel point de vue avez-vous adopté pour dresser ce tableau?*

– Les divisions en siècles ou en décennies n'ont pas de sens philosophique. J'ai commencé mon travail avec l'année 1933, car j'ai cru repérer à ce moment la première génération du xxᵉ siècle. Les penseurs précédents, comme Bergson, appartiennent encore au xixᵉ siècle. C'est dans les années trente que commencent à circuler des idées venues d'Allemagne. Kojève symbolise bien ce mouvement... Quant au point de vue, je n'énumère pas tous les livres notables; j'ai plutôt pris comme critère l'opinion française des lecteurs de philosophie. Je me suis appuyé sur des revues comme *L'Arc, Critique, Le Magazine littéraire* ou *La Quinzaine littéraire,* qui permettent de repérer la fréquence de ce qui est perçu comme opinion philosophique. On peut noter qu'il a fallu attendre Sartre et Merleau-Ponty pour que des revues consacrent des numéros spéciaux à des auteurs. Avant Sartre et Merleau-Ponty ce phénomène n'existait pas.

– *En 1933, Kojève ouvre son séminaire. Le succès de cette lecture hégélienne ne vient-il pas du fait que cette philosophie permettait de penser le présent de cette époque terrible, marquée par le fascisme, le stalinisme, par la violence?*

– Si j'avais parlé de la génération précédente, j'aurais rencontré Bergson, Durkheim, Brunschvicg et les descendants du kantisme. Il y avait là une génération de professeurs qui pensaient que tout devait converger en une sorte d'harmonie finale. Leur modèle, c'était une sorte de société des nations.

– *Kant avait, en effet, écrit un projet de paix perpétuelle.*

– Différent, Kojève fait, lui, appel à la brutalité. La raison passe par le massacre et non plus par la discussion. Pour un philosophe classique, il y a là un scandale. C'est peut-être pour cela que Kojève rencontre l'actualité de son temps. Mais l'on peut noter qu'aujourd'hui, quand on discute des droits de l'homme, l'on fait une sorte de retour prékojévien au droit des professeurs du début du siècle.

– Vous avancez donc que la question des droits de l'homme ne serait pas une question philosophique?

– Oui. La philosophie ne consiste pas – à mon sens – à prendre des positions, mais à regarder où l'on est posé. Se contenter de prendre des positions, c'est se laisser ballotter au goût du jour. Présenter la revendication des droits de l'homme comme de la philosophie, c'est ne pas analyser les phénomènes politiques, c'est se contenter de réagir – à l'inverse – au sartrisme, qui faisait de la violence une puissance libératrice. En fait, c'est avancer des positions sans se demander pourquoi on les prend. On croit se révolter contre le goulag ou contre Hegel, et le langage reste le même. En fait, les gens qui défendent ces positions restent prisonniers de l'opposition entre le droit et la violence. On avait essayé la violence hier, cela n'a pas marché, alors on revient au droit. Il n'y a ici que le mouvement de l'écureuil dans sa cage.

« Il est tout de même étrange de repérer les amnésies périodiques qui amènent les gens à réagir par des humeurs. Je crois qu'il y a une unité de la violence et du droit, et que c'est à partir de cette unité que l'on peut, peut-être, commencer à faire de la philosophie. »

– A la Libération, l'existentialisme est en vogue. Ce courant va dominer la scène jusqu'au succès de ce que l'on a hâtivement appelé le structuralisme.

– En première analyse, l'existentialisme va valoriser le concret. Le structuralisme, en un mouvement inverse, va louer l'abstraction. La phénoménologie existentielle en vient à signifier que tout ce qu'on me présente doit pouvoir montrer un sens pour moi. « Je » doit trouver une place au milieu de la science, de la politique, des initiatives historiques. Les phénoménologues font le pari d'ajouter aux grandes organisations politiques les colorations du sujet qui dit « moi ». C'est d'ailleurs pour quoi le marxisme existentiel a si bien marché; il ajoutait à l'objectivité de la lutte des classes les subtilités du sujet. Le concept de praxis donnait un sens à ma vie. Le « je » pouvait et devait rejoindre les autres.

— Un autre mélange a, lui aussi, beaucoup marqué : le freudo-marxisme. Ces philosophies-là mêlaient l'insconscient et l'engagement.
— Effectivement, on enrichissait les démarches, anciennes de nouveaux ingrédients. Au marxisme comme vérité, l'on ajoutait les « moi » ou leurs droits sexuels. Tout cela fabriquait du concret. Et puis ce processus était infini, on pouvait aisément joindre les enfants, les femmes, les homosexuels... Tout ce qui fait le moi devait se retrouver ici pour éviter, par la praxis, l'aliénation. Le vécu fut, de fait, le concept-clé de toute une génération.

— C'est donc en s'opposant à celui-ci que le structuralisme est apparu comme un formalisme. Il tirait ses concepts de la linguistique. Il y a eu un jeu de bascule entre le concret et l'abstraction des structures.
— Toute une pseudo-philosophie s'est greffée là-dessus. En insistant sur les structures, sur les relations venues de l'anthropologie, on croyait échapper aux illusions infantiles du vécu. Tout cela a donné l'équivoque structuraliste, car le fondement invoqué n'avait de sens qu'en anthropologie. Or la méthode structurale, qui a donné des résultats passionnants chez des gens comme Dumézil, Jakobson ou dans les premiers travaux de Lévi-Strauss, n'a vraiment de sens que dans des domaines précis. Quand Dumézil avance des concepts qui permettent d'analyser les représentations collectives des fonctions sociales, il fait un travail tout à fait remarquable; mais il est tout à fait vain de vouloir

tirer de cela une vision philosophique. Or le courant structuraliste a vite échappé à cette rigueur-là.

– *Vous insistez également sur l'importance du psychanalyste Jacques Lacan. Celui-ci a fortement influencé la philosophie française.*

– Son importance tient peut-être à ce qu'il a déblayé le terrain du freudo-marxisme vulgaire. Il montre clairement que ce qui importe plus que la répression sociale, c'est la notion de refoulement inconscient, beaucoup plus fondamentale. Le refoulement n'explique pas la répression, et réciproquement. Pour lui, les névroses ne se réduisent pas au champ social, à la famille... De fait, nous devons lui reconnaître d'avoir évité à la psychanalyse de sombrer dans une anthropologie naïve, et, s'il l'a fait, c'est en mettant en avant la question du langage, de ce qui fait l'être parlant.

– *Après 1968, une autre génération apparaît sur la scène. On y rencontre des gens comme Deleuze, Lyotard ou Klossowski. S'ils parlent du désir, ils ont aussi longuement cheminé avec Nietzsche, le philosophe de l'affirmation joyeuse.*

– Ces philosophes ne reprochent pas tant aux phénoménologues de tout ramener au vécu – ou encore de se mêler de littérature, – ils leur reprochent de s'intéresser à un vécu coupable, de misère. Leur refus de la dialectique, c'est le refus des philosophies du négatif, au nom d'une philosophie affirmative. En fait – aussi divers soient-ils les uns des autres – ils rejettent les philosophies du rachat.

– *Ces penseurs refusent donc les odyssées rédemptrices, les philosophies classiques qui prétendaient détenir les clés des chemins de l'émancipation.*

– Le désir qui apparaît ici est une notion qui ne relève plus du manque, mais qui indique que l'existence est puissance. Leur notion du désir ne relève plus de l'absence ou de la recherche de paradis passés ou futurs. Pour eux, le désir est une puissance, une richesse vitale. Paradoxalement, leur désir est même ce qui s'oppose au manque. On voit bien cela dans *L'Anti-Œdipe*, car, après quelques coups de chapeau à Marx et à Freud, ce livre déplace complètement les questions de ces auteurs. Il s'agit en fait de se débarrasser non seulement de la conscience, mais de la mauvaise conscience et de la faute. Je crois en effet que le fait d'être passé par Nietzsche a permis d'arracher le marxisme aux subordinations religieuses.

— *On est tout de même étonné que vous parliez aussi peu des recherches des épistémologues. Pourquoi passez-vous sous silence les travaux de gens qui se sont situés dans le sillage de Bachelard?*

— Cela tient à la méthode que j'ai utilisée. Je n'ai pas non plus parlé des essayistes, des historiens de la philosophie ou des esthéticiens. J'ai beaucoup d'estime pour toutes ces disciplines, mais je n'ai pas pu – en fonction des critères que je m'étais fixés – parler des disciplines internes à la philosophie. En fait, j'ai insisté sur les questions posées par la science, quand des philosophes ont prétendu – à partir de cela – construire toute une philosophie. C'est pourquoi j'ai parlé d'Althusser, qui a été – sur la place publique – le tenant de la philosophie des sciences. Althusser voulait fonder l'histoire sur une philosophie des sciences, même s'il n'arrivait pas à fonder cette science elle-même.

— *Votre livre est serein, mais on sent que vous avez aussi envie de lire autre chose. Quel type de philosophie aimeriez-vous donc lire?*

— Je constate qu'il s'est dépensé beaucoup d'énergie pour des résultats qui souvent paraissent faibles. J'ai trouvé en relisant tout cela que l'on était souvent allé bien trop vite en besogne. On avait voulu construire tout de suite une morale, une éthique, une politique, sans s'interroger vraiment sur ce qui faisait point de départ. On a parlé du vécu sans se demander pourquoi on ramenait tout au vécu. Il y existe pourtant une exception notable : Étienne Gilson s'est, lui, demandé dans *L'Être et l'Essence* pourquoi parlons-nous de l'existence? On pourrait dire la même chose du structuralisme. Celui-ci était fasciné par un certain type de rigueur. Il passait son temps à réfuter la subjectivité, sans se demander pourquoi. Depuis que je suis étudiant, j'ai envie de poser les questions du départ. Pourquoi commencez-vous par cela et pas autrement? J'aimerais lire des travaux qui insistent plus sur les commencements.

– *Si, dans votre livre, vous êtes très peu polémique, en revanche, vous l'êtes beaucoup dans le numéro de* Critique *consacré à l'année 1979. Vous l'avez intitulé* « *Le comble du vide* ». *Vous y attaquez la quasi-totalité des vogues actuelles.*

– Ce numéro qui s'intitule « L'année politico-philosophique », en parodiant ironiquement les revues savantes, s'amuse à dénoncer ce qui fait florès sur la place publique parisienne. Nous avons voulu, sereinement – mais sans gentillesse extrême –, ironiser à partir des pseudo-philosophies qui prétendent réduire cette discipline à la prise de position politique. La philosophie ne consiste tout de même pas à signer des manifestes. J'aimerais mieux que les philosophes essaient d'élaborer des concepts plus rigoureux de l'État, des rapports guerriers ou du pouvoir plutôt que de se contenter de courir après des programmes électoraux.

– *Pourtant Platon ne parle pas que des plantes ou des planètes. Il parle aussi des hommes dans la cité. Kant prend partie pour la Révolution française.*

– Les philosophes sont, en effet, traversés par le politique; pourtant, en général, ils mécontentent les politiques. Kant s'interroge sur la Révolution française. La philosophie politique suppose qu'une question soit suscitée par un événement. Mais je ne peux faire de la philosophie à partir de mes positions ou, si je fais cela, je me contente de trouver des arguments pour une position que j'ai déjà.

– *Quand même, les objets des philosophes ne sont*

pas des objets purs. Descartes philosophe à partir de la révolution copernico-galiléenne; Kant, à partir de Newton. On a parfois l'impression que, pour vous, la philosophie s'engendrerait à partir de son propre champ.

– Pour qu'il y ait philosophie. Il est nécessaire qu'il y ait un moment de perplexité. C'est pourquoi, si je lis un livre de philosophie, j'aime avoir le sentiment que celui-ci me révèle mon imbécillité précédente, que j'y apprends une façon nouvelle d'aborder le monde, du côté du raffinement ou de l'approfondissement. Nous sommes loin des programmes électoraux. La philosophie ne peut avoir d'usage politique immédiat, ou alors il suffirait d'écrire des tracts. Je suis évidemment – immédiatement – contre le goulag ou les massacres du Cambodge, mais, en tant que philosophe, je dois me rendre compte que le fait d'être contre ne m'engage pas à grand-chose. Ici, en disant cela, je ne prends aucun risque et, à la limite, je puis même en tirer bénéfice.

– Pourtant, il y a des luttes ici, et le philosophe y est impliqué. Il ne peut éviter de poser la question du juste et de l'injuste

– Oui. Mais il doit éviter de faire des sermons. Le philosophe doit élucider ce qui est, il ne doit pas se transformer en un meneur d'hommes, en celui qui affirme ce qui doit être. Napoléon affirmait comme déjà réalisé ce qui en fait était seulement un programme. Il y avait là une manipulation rhétorique. Le philosophe, c'est précisément celui qui doit distinguer entre ces divers niveaux. Poser la question du juste, ce n'est pas dire ce qui doit être – l'égalité plutôt que l'inégalité ou le matriarcat au lieu du patriarcat, – mais c'est me demander ce qui me permet d'en juger.

– Dans L'Inconscient *malgré lui, vous demandez ce que l'on dit quand on avance : « Je dis la vérité » ou « je mens ». Y aurait-il une inadéquation radicale de tous les discours?*

– Ce qui m'importe, c'est de tenter de repérer ce qui fait le sens d'une phrase. Dans les systèmes phénoménologiques, il suffit d'essayer de repérer l'intention de signifier. Mais, en un autre sens qui m'importe beaucoup plus, l'on peut voir que le sens de ce que je dis vient aussi du sens qu'autrui trouve dans ce que j'ai proféré. L'hypothèse que je fais, c'est que contrairement à ce que chacun croit – « je veux m'exprimer, j'ai des tas de choses à dire, mais malheureusement on ne m'écoute pas » – ce que je dis, je le dis aussi parce que j'ai été saisi par le langage. Le sens nous vient aussi des autres, à travers le langage j'avance l'hypothèse que l'entendre précède le parler. D'ailleurs, quand on pense « une idée me vient », il y a là – même si c'est très mystérieux – une sorte de visitation. »

Christian DESCAMPS,
3 août 1980.

Vincent Descombes est né en 1943.
Enseigne à l'université John Hopkins, aux États-Unis.

Ouvrages

L'Inconscient malgré lui, Minuit, 1977.
Le Même et l'Autre. Quarante-cinq ans de philosophie française 1933-1978, Minuit, 1979.
Grammaire d'objets en tous genres, Minuit, 1983.

PHILOSOPHIES FRANÇAISES

Ferdinand Alquié

« Toutes les grandes philosophies
sont une critique de l'objet au nom
de l'être. »

*Ferdinand Alquié a une œuvre extrêmement riche,
portant aussi bien sur les philosophes du XVIIe siècle
que sur la métaphysique, la poésie et le surréalisme. Il
a aussi édité les œuvres de Descartes, et celles de Kant
qui sont en cours de publication. Sa réflexion s'attache
en particulier à la dualité entre la conscience intellectuelle et la conscience affective.*

– A côté de votre intérêt pour les grands systèmes philosophiques, vous avez toujours laissé une large place à la connaissance affective.

– Dès la classe de seconde, j'ai été séduit par Leibniz. Comme tous les adolescents, j'étais amoureux et je cherchais dans les auteurs romantiques quelque chose qui répondît à ce que je sentais. J'éprouvais une séparation radicale d'avec l'être aimé, mais d'un autre côté, j'avais le sentiment profond que je n'existais qu'en fonction de l'autre. J'avais lu *Werther,* cependant, je ne me satisfaisais pas de ces déclarations pathétiques. En lisant Leibniz, j'ai découvert que les monades étaient sans fenêtres, qu'elles n'avaient aucune communication les unes avec les autres. Pourtant, tout ce qui se passait en l'une était fonction de ce qui se passait dans l'autre, parce que Dieu les avait pensées par un seul et même acte. Il y avait là séparation radicale et union profonde...

– A l'époque, Léon Brunschvicg était l'une des gloires de la Sorbonne.

– Je l'ai, en effet, eu comme professeur, mais je me suis très tôt attaché aux grands philosophes classiques. Brunschvicg les aimait beaucoup, pourtant il les modifiait selon sa propre philosophie. Il allait jusqu'à déclarer : « Rien ne serait moins cartésien que de dire : " Je pense donc je suis! " » J'ai plus été influencé par des gens qui enseignaient l'histoire de la philosophie, comme Bréhier, Gilson ou Laporte.

– Vous croyez, en un sens, en une philosophie éternelle. Vous avancez que tous les grands philosophes ont, malgré leurs différences notoires, tous dit un peu la même chose.

– J'ai passé toute ma vie à enseigner les différences, et je ne vais pas dire que Descartes est semblable à Kant. Mais, en fait, je crois que si l'on considère la démarche philosophique dans ce qu'elle a d'essentiel, on voit que toutes les grandes philosophies sont une critique de l'objet au nom de l'être. J'entends par là qu'elles critiquent ce qui apparaît au nom de ce qui est en soi. Certes, chaque philosophe présente cela à sa façon...

– *Vous avez consacré d'importants travaux à Descartes. Vous lire, c'est, en un sens, suivre un grand western métaphysique. Vous dégagez une pensée qui n'est aucunement entrée dans les mœurs. On peut, pour pénétrer Descartes, choisir la voie métaphysique, physique ou mathématique...*

– A l'époque de la grande édition d'Adam et Tannery, on s'intéressait plus au Descartes savant; le Descartes métaphysicien semblait secondaire. Cela tenait en partie au scientisme de l'époque. Or je crois que la métaphysique de Descartes est toujours valable, ce qui ne veut pas dire vraie. Or sa science – si l'on met à part sa loi des sinus et la géométrie analytique – est en bonne partie périmée. Certes il a trouvé, en même temps que Harvey, la circulation du sang; mais c'est parce qu'il pensait que le cœur était plus chaud que le reste des organes que le sang y bouillait. Par ailleurs, il avançait que la pesanteur venait de ce que la matière subtile, tournant à toute vitesse autour de la Terre, repoussait les différents corps. Cela ne retire rien à son génie. Pourtant sa métaphysique est, elle, complètement irréfutée. Je puis encore dire que le monde extérieur n'est absolument pas certain, que je puis en douter.

– *Sa métaphysique serait donc absolument actuelle. Mais, en France, nous sommes très historiens. Nous situons les auteurs par rapport à leur temps.*

– Quand j'ai fait des cours sur Descartes aux États-Unis, je me suis trouvé devant des étudiants totalement ignorants du xviie siècle. Ils discutaient des différentes *Méditations* comme s'il s'était agi d'un livre qui venait de paraître. Choqué au début, j'ai ensuite été séduit par cette sorte de fraîcheur qui n'avait pas besoin de se débarrasser d'une culture qu'elle n'avait pas.

– Pour être tout de même un peu historien, il semble aujourd'hui étrange que certains hommes d'Église – je pense au cardinal de Bérulle – aient été de fervents soutiens du mécanisme.

– La totalité de l'Église n'était pas favorable au mécanisme. Descartes a été mis à l'index et condamné par la Sorbonne, mais il est vrai qu'il avait aussi de fervents soutiens au sein de la Compagnie de Jésus. D'ailleurs, Descartes s'il adhère au mécanisme n'en n'est pas le fondateur.

– En fait, le mécanisme milite contre une Renaissance qui plaçait des forces naturelles et mystérieuses un peu partout.

– L'Église voyait là un retour au paganisme, aux dieux des sources. Or le père Mersenne, ou Malebranche par la suite, estimaient que pour établir entre l'homme et Dieu un rapport véritable, il fallait débarrasser la nature de toutes les forces surnaturelles. Mais personne autant que Descartes n'a voulu dédiviniser la nature. Il ne cesse de répéter qu'elle n'est pas une déesse. Quand il écrit *Les Météores,* il signale que notre admiration se porte spontanément sur la nature; mais il s'agit de réduire tout cela à de simples mouvements de matière. Ce qui est vraiment admirable c'est la liberté. Or avec une nature mécanique, fabriquée par Dieu, il n'y a que Dieu et l'homme libre.

– Le courant cartésien ainsi conçu est rigoureusement anti-thomiste. Il dit que le Moyen Age a eu une philosophie païenne.

– Bien sûr. Malebranche, plus tard, séparera de façon stricte les vérités révélées; tout ce que la scolastique y avait ajouté sera tenu pour païen. Descartes affirme, lui, le primat du sujet sur la connaissance; c'est son idée essentielle. Il est le père spirituel de Leibniz, de Berkeley... Quand Hegel déclare que l'absolu est sujet, il est encore dans cette lignée. Husserl a intitulé l'un de ses ouvrages : *Méditations cartésiennes.* Historiquement les *Méditations* affirment le primat du sujet pour revenir ensuite à une ontologie humano-déiste.

– *Descartes valorise le doute; mais, chez lui, c'est un moment que l'on dépasse.*
– Descartes doute de tout : du monde, des vérités mathématiques. Dans la première *Méditation* il déclare que « je ne suis pas sûr de ne pas rêver ». Il commence par dire que des gens pensent avoir un corps en verre, que ce sont des fous; « mais je suis moi-même fou toutes les nuits puisque je crois être dans une forêt alors que je suis nu dans mon lit ». Bref, il recherche une vérité qui résiste à tout.

– *Descartes avance que Dieu peut même être trompeur. A ce point de doute total, il veut vivre le doute et il suppose un Malin Génie.*
– C'est une hypothèse volontaire; ce procédé permet de douter. Ce Génie s'attache à me tromper. Il faut alors distinguer le Dieu qui peut être trompeur et le Malin Génie qui est un procédé méthodologique pour douter.

– *Je puis donc douter de tout; mais il y a quelque chose qui est un roc, c'est le : « Je pense donc je suis. » La certitude du sujet pensant est alors supérieure à celle de l'objet pensé. Cette assertion n'a pas pris une ride. On pourrait vous demander ce qui dans le « je pense », le « je suis » ou dans le « pour penser il faut être », vous intéresse le plus?*
– Soulignons d'abord que cette phrase se trouve dans le *Discours de la méthode,* qu'elle se retrouve dans les *Principes,* mais qu'elle n'est pas dans les *Méditations.* En fait, il s'agit de se demander ce qu'on dit quant on dit : je suis. Dans les *Méditations,* Descartes s'intéresse au je suis; mais dans le *Dis-. cours,* il privilégie le fait qu'on ne peut penser sans être...

– *Le* Discours de la méthode – *ce texte en français –
est un livre étrangement composé.*
– Descartes le dit lui-même; il souligne qu'il l'a
construit « pour que les femmes-mêmes puissent y
comprendre quelque chose ».

– *Pourtant il dialoguera beaucoup avec la princesse
Elisabeth, l'une des femmes de la philosophie occidentale.*
– Il est parfois un peu flatteur; ainsi il déclare que
quand il l'a aperçue, il a cru voir des anges. Mais quand
elle lui pose des questions il y répond avec soin.
Elisabeth, qui est tout à fait intelligente, remarque que
la théorie de Descartes, qui sépare l'âme du corps,
laisse leur rapport en partie inexpliqué. Si le corps est
pure étendue et si l'âme est pure pensée, on ne peut
comprendre pourquoi j'éprouve une douleur quand je
m'enfonce une épingle dans le doigt. Pour lui répondre,
Descartes la renvoie à l'expérience. Il avoue, là, que la
raison a ses limites.

– *Lire Descartes avec soin, c'est donc être bien loin
du rationalisme banal.*
– Descartes a, comme la plupart des grands philosophes, été trahi et simplifié. Mais ce n'est pas le seul!
Malebranche a été, lui, la source de la pensée athée; et
regardez ce que l'on a fait dire à Marx! Et puis,
comment résumer un philosophe en quelques lignes
dans un dictionnaire... Aujourd'hui, tous les Français
qui n'ont jamais lu une ligne de Descartes se croient
cartésiens!

– *Vous soulignez que Descartes invente, avec la
création des vérités éternelles, une pensée tout à fait
unique.*
– Il est le seul philosophe à avoir dit cela, on ne
l'avait jamais dit et l'on ne l'a plus jamais redit sous
cette forme. Or avancer que Dieu a librement créé les
vérités éternelles, qu'il a construit ce qui nous apparaît
évident logiquement et mathématiquement, c'est don-

ner au rationalisme les limites les plus nettes. Car une fois admis que Dieu a créé ces vérités – qu'il a mis notre raison d'accord avec elles – le rationalisme fonctionne pleinement. Mais à la racine, Dieu aurait pu faire quelque chose de tout à fait différent. Il aurait pu faire que 2 et 2 fissent 5, que la somme des angles d'un triangle ne soit pas égale à deux droits. Donc ce qui nous apparaît comme logiquement nécessaire est métaphysiquement contingent.

– *On est, ici, tout proche de la théorie des mondes possibles.*
– Absolument, même notre mathématique ou notre structure mentale sont l'effet d'un libre choix divin. Mais l'Être est au-delà de cela.

– *L'homme Descartes, à qui vous avez consacré bien des pages, s'avance souvent masqué. Il est fort jaloux de sa sécurité.*
– Il aime, en effet, ne pas être dérangé. Il date souvent des lettres d'une ville où il ne se trouve pas. Il déménage sans cesse. En Hollande, le nombre des maisons de Descartes est immense! On lui a parfois reproché d'avoir manqué de courage dans l'affaire Galilée. Pourtant, en Hollande, il ne risquait rien puisque l'Inquisition n'y régnait pas. Je crois, plus profondément, qu'il a été soucieux de ne rien dire qui fût condamné par l'Église.

– *A côté de l'intérêt que vous avez marqué aux grands philosophes classiques, vous avez aussi consacré un ouvrage à la philosophie du surréalisme.*
– J'ai été séduit par les écrits de Breton; très jeune, j'ai pratiqué l'écriture automatique; dès 1924, j'ai rencontré les surréalistes. J'étais l'ami de Breton, d'Éluard, de Tanguy. Bien sûr, j'interprétais le surréalisme autrement que les surréalistes eux-mêmes. Par exemple, ils se disaient hégéliens; mais je n'ai jamais cru qu'ils le fussent. J'ai cherché dans le surréalisme aussi une différence entre l'objet et l'être. Breton dit

que le surréalisme repose sur la conviction qu'il y a quelque chose de caché derrière tout objet visible. Je crois qu'il est là tout près de ce que Descartes appelle la substance ou de ce que Kant appelle la chose en soi. Dans cette volonté d'aller au-delà de l'objet pour trouver quelque chose qui fasse signe, on retrouve ce qui est pour moi le centre de la démarche philosophique.

– *Philosophe, vous attachez un grand prix à la connaissance poétique.*

– Je lis constamment les poètes et je ne vois là nulle contradiction avec mon amour de la philosophie. Si vous êtes convaincu que l'ensemble des objets du monde n'est pas l'Être, vous pouvez argumenter cela en termes philosophiques. Mais vous pouvez également le faire de façon poétique. Je pense que la poésie aussi dit des vérités. Quand Éluard écrit : « Nous sommes réunis par-delà le passé », il est proche du Leibniz qui affirme que « les monades ont des rapports mutuels parce qu'elles ont été pensées à l'origine par un acte unique ».

Christian DESCAMPS,
28 mars 1983.

Ferdinand Alquié est né en 1906.
Membre de l'Institut. Professeur honoraire à l'université de Paris-Sorbonne.

Ouvrages

Leçons de philosophie, 2 vol., Didier, 1939.
Le Désir d'éternité, PUF, 1943.
La Découverte métaphysique de l'homme chez Descartes, PUF, 1950.
La Nostalgie de l'être, PUF, 1950.
Philosophie du surréalisme, Flammarion, 1955.
Descartes, Hatier, 1956.
L'Expérience, PUF, 1957.
Solitude de la raison, Le Terrain vague, 1966.

Ferdinand Alquié

La Critique kantienne de la métaphysique, PUF, 1968.
Signification de la philosophie, Hachette, 1971.
Le Cartésianisme de Malebranche, Vrin, 1974.
Malebranche et le rationalisme chrétien, Seghers, 1977.
La Conscience affective, Vrin, 1979.
Le Rationalisme de Spinoza, PUF, 1981.

Principales éditions commentées : *Descartes : œuvres philosophiques* (Garnier, 3 vol., de 1963 à 1973). *Kant : œuvres philosophiques* (Gallimard, bibliothèque de la Pléiade, en cours de publication : le premier volume a paru en 1980).

Kostas Axelos

« Tendre vers ce qui est l'un, le tout
– le monde. Voilà le suprême
enjeu. »

*Penseur solitaire et tragique, Kostas Axelos a
déployé sa philosophie dans une trilogie en neuf
volumes, qui nous mène d'Héraclite à Marx et à l'âge
de la technique et qui s'identifie en fait à l'histoire de
l'Occident. Pour lui, l'homme est l'enjeu du monde et
le monde est pour l'homme l'enjeu suprême. A l'écart
des modes et des idéologies, Kostas Axelos appelle de
ses vœux l'avènement d'une pensée* « questionnante,
planétaire et mondialement errante ».

– Vous constatez l'aversion des hommes pour la pensée, l'énorme difficulté pour leur dire ce qu'ils ne veulent entendre et encore moins comprendre dans ses tenants et ses aboutissants. « Le métier de penseur, le métier impossible! » Pourquoi cette aversion? N'y a-t-il d'autre solution que de ne rien dire, d'autre issue que le silence?

– Comment déjouer l'obstacle de la petite haine des hommes contemporains pour la pensée? Comme c'est justement cet obstacle qui déjoue les rares efforts pensants, il n'est pas possible de le déjouer. Le refus de penser est porté par une nécessité. L'époque semble l'exiger. Ceux, rares, qui s'adonnent à la pensée parce qu'ils ne peuvent pas faire autrement restent contraints à penser et à passer comme des éclairs déchirant l'horizon. Ce sont les poètes-penseurs non pas de ceci ou de cela, mais du jeu du monde. Ne rien dire de celui-ci n'est pas une solution, et, de plus, on ne choisit pas de parler et de dire, de bavarder et de se taire, comme on ne choisit pas de « garder » le silence. Cela s'impose à nous. Par qui? Par ce qui est à penser. « Cela », qui donne son souffle au métier de penseur.

– On relève dans votre livre ce diagnostic : « Les traits dépressifs et schizoïdes, hystériques et obsessionnels de notre civilisation et de notre culture se développent de plus en plus. » Ce sont les signes de quoi? De quel malaise, de quelle crise? Les jeux sont-ils définitivement faits?

– A un niveau plus visible, ce qui semble dominer notre ère, ce sont les traits de folie. Signes d'un malaise et d'une crise, faisant un avec la nature et la marche de notre culture et de notre civilisation, ils indiquent à la fois que les jeux sont faits et que le jeu continue. Car toutes les petites ou grandes folies humaines et historiques n'épuisent pas, même si on les combine avec le rationalisme conquérant, le jeu du monde. Au contraire : elles font signe vers quelque chose qui n'est pas une chose, vers une autre possibilité qui restera toujours liée à l'impossibilité qui peut être aussi fécondante.

– *Cet ennui du monde, cette fatigue, ce processus silencieux perfide qui conduit à la fermeture, au repli, est-ce l'effet du temps, de notre époque?*

– L'ennui et la fatigue des hommes et des mondes empiriques ou culturels nous concernent obscurément tous. Derrière eux, en eux, au-delà d'eux se cache soigneusement une énigme. Celle du monde, ouverture des ouvertures, ensemble des ensembles, jeu du temps, que nous avons voulu maîtriser et posséder, nous, hommes individuels ou sociétés socialisées. Seul l'accord discordant avec le monde fuyant pourrait, à travers la reconnaissance plénière – mais est-elle possible? – nous concilier avec la fatigue, l'ennui, le mat désespoir.

– « *Nous avons perdu le secret de la santé sans avoir découvert celui de la folie* », *dites-vous. Comment abordez-vous ce problème?*

– Il n'y a pas de santé et de salut suprêmes. Toutes les solutions et toutes les thérapeutiques proposées pour remédier aux défaillances du raisonnement, aux maux, aux détraquements ou aux aliénations d'une humanité en voie de socialisation ne pensent pas (faut-il ajouter : suffisamment?) La logique mathématique, symbolique et cybernétique (avec son corollaire : la philosophie analytique du langage); la psychanalyse et les diverses « psy »; la sociologie et la politologie marxistes ou bourgeoises « avancées » pensent toutes court. Très court. Elles se consolideront certes, prenant également d'autres formes, perpétueront leur existence fatiguée, se montreront peut-être même capables de petites rénovations. En pensant toujours court. Ce qui vient comme s'ajoutant à tous ces maux ainsi qu'aux recettes et aux remèdes, la critique littéraire et l'esthétique, formaliste, culturaliste ou tout ce que l'on voudra, pense moins encore.

– Et cette peur qui vous paraît habiter le monde moderne? L'homme semble presque un être de la catastrophe. Et pourtant il cherche des consolations.

– Chez l'homme la peur est chez elle, et l'homme vit dans la peur du monde. Cherchant des consolations faciles, il fait tout pour ne pas affronter le monde. Une certaine peur, qui est en fait immense, creuse le lit du dualisme, qui sépare ce qu'on appelle en balbutiant vie et ce qui se déploie comme pensée. On vit et on meurt – dominé par la peur – dans la théorie et la pratique des « deux » mondes qui nous font subir leur différence, pendant que nous faisons tout ce qui est possible (ou presque) pour éviter un rapport un peu plus amical avec la peur, l'angoisse, le néant. De toutes les manières, nous ne voulons pas – surtout : nous ne pouvons pas – affronter l'incohérence et l'inconséquence entre notre « pensée » et notre « vie ».

« Je ne publierai pas mon prochain livre, auquel je travaille déjà, tant que ne sera pas plus clair le lien qui unit et différencie vie dite quotidienne et prosaïque et pensée de haut vol et élan poétique. Un même jeu – articulé – relie la vie la plus bassement quotidienne avec la plus haute spéculation et la poésie. Mais l'énigme de ce " même " est à déchiffrer. Depuis la Renaissance et jusques et y compris Heidegger, elle se dissimule. D'habitude on vit platement et il arrive qu'on pense grandement. Comme s'il n'y avait pas problème; comme si la pensée était une affaire de la tête et la poésie un produit de la littérature; comme si la puissance et l'impuissance de la " vie " allaient de soi et que leur concordance, voire leur non-concordance, avec la pensée poétique était une chose négligeable. Or celle-ci est une question de vie ou de mort ou n'est qu'un exercice scolaire ou gratuit, fût-il supérieurement académique et littéraire. »

– Au-delà des dénonciations et des jérémiades, il y a chez vous une vision lucide, et un effort d'élucidation

de la technique, un risque calculé pour tenter de la penser...

– Élucider le problème de la technique qui nous mobilise est et demeure la tâche de la pensée d'aujourd'hui et de demain. Par technique, il faut entendre la puissance technicienne sous toutes ses figures, la technique qui est inhérente à toutes les figures de la modernité et de l'ultramodernité. La technique de l'ordre et la technique des révoltes sont strictement complémentaires, et le Sphinx qu'il reste à interroger et à réinterroger est la technique planétaire. Cette dernière domine aussi bien le monde dit réel que les mondes de l'imaginaire.

– En ces temps d'exacerbation de l'idéologie, vous réussissez à garder une distance, une mise à distance. Où se situe le politique si l'ouverture, l'enjeu dépassent le politique? N'encouragez-vous pas le risque d'une parole anachronique?

– Joyeusement et tristement en même temps, partenaire constitutive du jeu du temps, la pensée court le risque de l'anachronisme, celui de l'actualisme, celui du futurisme. Elle accepte le danger parce qu'elle s'ouvre à l'errance du temps. Elle essaie de communiquer avec le centre et le cours vibrant et rythmant du temps où passé-présent-avenir ont, dans l'unité, chacun leur passé-présent-avenir, ainsi que tous leurs moments. La politique ne gouverne pas le temps; elle en est la servante. Et elle marche comme elle peut et non pas comme elle veut. C'est-à-dire elle marche comme elle ne peut s'empêcher de marcher : à la trique. Tout en prodiguant aux citoyens des assouvissements réels et imaginaires.

– « La France maîtresse en superficialité... », dites-vous. Pourquoi ce jugement?

– La caractéristique de la France, étant devenue maîtresse en superficialité, n'est ni agressive ni ironique : elle dresse un constat. En effet, la France, surtout contemporaine, a une horreur sainte ou laïque de ce qui est intense, ample et profond, elle recule devant le grand courant souterrain ainsi que devant l'horizon des horizons. Dans tous les domaines. Elle se satisfait dans les mondes particuliers : de la rhétorique, du social et du psychologique, du littéraire et de l'esthétique; elle n'a cure du monde. En ce sens, elle remplit avec un certain succès le destin d'une « moitié » des êtres et des choses : leur légèreté, leur frivolité.

« Ne nous attristons cependant pas : la France va, comme les autres pays, vers le capitalo-socialisme bureaucratique d'État. Elle prend part ecclésiastiquement et politiquement, universitairement et éditorialement, journalistiquement et culturellement à la médiocrité du reste du monde. Si elle est aspirée par cette médiocrité, en mettant même à contribution son avant-gardisme, ce n'est pas de sa faute. »

– La présence constante de la mort, dans votre livre, est une chose frappante. Est-ce la manifestation d'un regard pessimiste?

– S'il y a cette présence constante de la mort, c'est que la mort elle-même, dans son indissoluble – et pourtant différenciée – unité avec la vie, n'est pas la pure négativité, mais joue également un rôle positif. Néanmoins, elle n'a jamais été radicalement pensée. Il y eut des philosophes et des penseurs qui offrirent des approches, parfois géniales, des autres grandes forces élémentaires – du langage et de la pensée, du travail et de la lutte pour le pouvoir, de l'amour, – mais la mort demeura fondamentalement impensée, justement parce que ni elle n'est, ni elle n'a un fondement. (Je ne prétends nullement l'avoir « suffisamment » pensée et éprouvée.)

« La présence de la mort ne détermine pas un regard pessimiste, elle nous engage à briser davantage nos jouets déjà brisés et à nous engager sur la route escarpée qui conduit à l'espace-temps ouvert du jeu. Du jeu qui anime et broie le jeu des hommes. Le pessimisme et l'optimisme sont donc en fait des frères jumeaux, tous deux décédés. Pour caractériser le style de pensée et de vie que j'essaie de prédire, de promouvoir et d'expérimenter, il nous manque des substantifs et des adjectifs pertinents. Naturellement, ce style mordra aussi à son tour la poussière. »

– Vous êtes impitoyable à l'égard de l'homme planétaire et, avec des accents souvent nietzschéens, vous dénoncez cette culture « comme le domaine de la bêtise, du mensonge ». Quelle issue voyez-vous à cette situation née du monde moderne?

– L'issue à cette situation née du monde moderne et le généralisant – car il est impossible de décider si le monde planétaire parachève seulement le monde moderne ou crée aussi du nouveau – est constituée par la problématique combinée de l'issue et de la non-issue. Toute issue reste flanquée de son point d'interrogation. Mais où est-il dit que tout point d'interrogation cherche ou trouve une issue?

– Quel est maintenant l'enjeu de votre livre?

– Si le but de ce livre est de conclure méthodiquement et systématiquement trois trilogies qui vont d'Héraclite à la pensée planétaire, en embrassant logique, pensée du monde et éthique, et d'ouvrir un chemin, la question « quel chemin? » prend tout son poids. Mais la question du chemin est elle-même problématique. L'homme n'a pas le libre choix des chemins qui s'ouvriraient à lui. La société non plus. Ce qui nous régit est un amalgame de mythologie, de technologie et d'idéologie. Il s'agirait par conséquent de communiquer avec le courant souterrain et de s'ouvrir à l'horizon lointain en suivant la route des étoiles. Autrement dit, en dépassant productivement le psychologique et le sociologique qui nous font étouffer, nous tendre vers ce qui est l'Un, le Tout – le monde. Voilà le suprême enjeu.

Edmond EL MALEH,
11 mai 1980.

Kostas Axelos est né à Athènes en 1924.
Rédacteur en chef de la Revue *Arguments*, 1957-1962.
Dirige la collection « Arguments » aux éditions de Minuit.

Ouvrages.
    A publié trois trilogies :

Le Déploiement de l'errance, qui comprend :
    Héraclite et la philosophie, 1961;
    Marx penseur de la technique, 1962;
    Vers la pensée planétaire, 1964.
Le Déploiement du jeu, qui comprend :
    Le Jeu du monde, 1969;
    Pour une éthique problématique, 1972;
    Contribution à la logique, 1977.
Le Déploiement de l'enquête, qui comprend :
    Arguments d'une recherche, 1969;
    Horizons du monde, 1974;
    Les Problèmes de l'enjeu, 1979.

Systématique ouverte, 1984.

    Tous ces livres ont été publiés aux éditions de Minuit.

Jacques Bouveresse

« On ne peut qu'être surpris par le caractère massivement irrationaliste de la philosophie française actuelle. »

Professeur à la Sorbonne et auteur de plusieurs ouvrages sur Wittgenstein Jacques Bouveresse a publié en 1984 un livre très polémique, Le Philosophe chez les autophages, *où il analyse les courants qui dominent actuellement la pensée française, pour en souligner les faiblesses, en dénoncer les errements, en évoquer les dangers.*

Le titre du livre est inspiré d'une phrase de Lichtenberg : « J'ai toujours pensé que la philosophie se dévorera elle-même... » *Avec une ironie mordante, Jacques Bouveresse s'en prend joyeusement à bon nombre d'auteurs célèbres. Sans omettre de donner les noms, puisque, commente-t-il en invoquant Karl Kraus,* « une simple critique du système, une critique impersonnelle, est anodine et ne gêne personne ».

– *Le jugement que vous portez sur la situation de l'activité philosophique en France aujourd'hui est plutôt dur. Est-ce que vous péchez par excès de sévérité?*

– Je ne suis probablement pas le seul à être frappé par la discordance de plus en plus grande qui existe entre les prétentions de la philosophie et ses réalisations effectives. Je ne sais pas si je suis ou non trop sévère. Mais, puisque j'ai entendu pendant des années répéter sur tous les tons qu'il fallait s'attaquer à toutes les idoles et philosopher « au marteau », ne rien respecter et ne reculer devant aucune vérité, je m'étonne toujours que l'on m'accuse d'un crime de lèse-majesté lorsque je m'en prends à certains auteurs sacrés. Il se trouve simplement que je ne suis pas convaincu par les philosophes que je critique, et je suis surpris par la facilité avec laquelle ils réussissent apparemment à convaincre tant de gens, tellement les objections me semblent dans la plupart des cas immédiates et évidentes.

– *Vous reprochez surtout aux philosophes français d'avoir jeté par-dessus bord des notions comme celles de « raison », de « vérité », d' « objectivité »...*

– Oui, une des choses qui surprennent le plus les philosophes étrangers, c'est le caractère massivement irrationaliste de la philosophie française actuelle, tout au moins de celle dont on parle. Tout se passe comme si la tradition rationaliste avait purement et simplement cessé d'exister. Ceux qui la représentent encore sont tenus pour quantité négligeable ou considérés comme des hommes d'un autre âge.

« Cette attitude n'est pas simplement discriminatoire, elle est également dangereuse au sens auquel toutes les évidences sont dangereuses. Quelqu'un qui s'en prend à des notions comme " rationalité ", " objectivité ", " vérité "... est pratiquement assuré *a priori* du succès. Mais, lorsqu'on considère d'un peu plus près le discours irrationaliste dominant et qu'on essaie d'en tirer quelques conséquences précises, on s'aperçoit généralement qu'il ne représente en aucune façon une solution. Déclamer contre la raison et la logique est devenu une tradition, un automatisme ou un rituel, qui fonctionne habituellement sur un mode aussi abstrait et aussi simpliste que les formes les plus plates du rationalisme que l'on dénonce à juste titre. »

— Est-ce que vous ne courez pas le risque d'être accusé de mener un combat d'arrière-garde pour des valeurs que des approches nouvelles ont fait voler en éclats? Vous acceptez vous-même certains « constats structuralistes » comme évidents.

— Je serai certainement accusé de mener un combat d'arrière-garde. Mais quelle importance cela peut-il avoir? Voyez le nombre de questions philosophiques, en principe définitivement réglées, dont la redécouverte est présentée quelques années après comme une « révolution ». On ne peut tenir aucun compte de ce genre de choses, parce qu'il n'y a pas en philosophie de notion d' « actualité » qui puisse justifier le terrorisme que l'on exerce sur ce point. Il faudrait peut-être en finir avec cette conception héroïque de la philosophie qui raisonne essentiellement en termes de rupture et de liquidation. C'est ce qui a fini par créer l'impression, comme dit Musil, qu'à chaque rentrée scolaire commence une nouvelle époque.

« Je ne crois pas du tout que les approches nouvelles dont vous parlez aient ruiné définitivement des valeurs traditionnelles comme la vérité ou l'objectivité. Il ne serait pas difficile de montrer que l'historicisme et le relativisme qui font fureur aujourd'hui les présupposent et même les utilisent sans s'en rendre compte ou sans l'admettre. De même, un intellectuel qui affirme que la raison et le savoir sont de simples formes déguisées du pouvoir révèle *ipso facto* la possibilité d'un exercice de la raison et d'une forme de savoir qui échappent à la réduction proposée. Dans le cas contraire, il n'aurait plus le choix qu'entre la renonciation pure et simple à toute tentative de communication et la participation plus ou moins cynique au jeu du pouvoir, de la domination et de la manipulation qu'il décrit.

« Certaines des "découvertes" du structuralisme correspondent effectivement jusqu'à un certain point à des évidences. Mais elles n'entraînent absolument pas les conséquences extrémistes qu'on en a tirées sur le moment. Les rationalistes contemporains ne sont pas tous aveugles ou idiots. La plupart d'entre eux se demandent comment préserver un rationalisme minimal, en tenant compte des vérités désagréables que nous avons apprises grâce à Marx, Nietzsche, Freud et beaucoup d'autres sur la nature réelle et la fonction exacte de la raison. En réalité, il n'est pas possible d'être plus conscient des limites et des difficultés du rationalisme que l'on été précisément certains rationalistes traditionnels ou contemporains. Je pense à des auteurs comme Lichtenberg ou Musil, par exemple, qui n'ignoraient pas grand-chose de ce que nous croyons avoir découvert récemment. »

– Dans un article récent, vous parlez de la « vengeance de Spengler », en assimilant les courants actuels à la pensée de l'auteur du Déclin de l'Occident, *et vous insistez sur les dangers politiques de cette thématique résurgente. Est-ce que vous ne forcez pas un peu la note?*

– Je ne suis évidemment pas en train de réécrire *La Destruction de la raison,* de Lukàcs. Les choses sont de toute évidence beaucoup plus nuancées et compliquées. Mais, justement, je ne trouve pas que les irrationalistes contemporains soient plus subtils que les rationalistes, auxquels ils reprochent de simplifier à outrance. Si la « philosophie de la vie » n'était pas aujourd'hui une tradition à peu près complètement oubliée, on se rendrait compte que les courants néo ou post-structuralistes ne font parfois que redécouvrir et réhabiliter sans s'en rendre compte certains de ses aspects les plus contestables et les plus inquiétants. Ce qui n'est pas très surprenant, puisqu'on retrouve au point de départ dans un cas comme dans l'autre Nietzsche et ses ambiguïtés.

Je ne prétends pas que les philosophes auxquels je songe disent exactement la même chose que Spengler ou Klages. Mais il y a tout de même un petit air de famille que l'on peut trouver préoccupant dans la mesure où la différence, que l'on prétend essentielle, reste le plus souvent indéterminée.

« Cela dit, vous avez certainement compris qu'aller retrouver chez un auteur aussi discrédité que Spengler la plupart des poncifs de l'irrationalisme actuel était aussi une façon de pratiquer l'ironie. »

– Mais est-ce que vous ne tombez pas dans cette politisation directe du discours philosophique et de la critique dont vous dénoncez par ailleurs les méfaits?

– Ce n'est pas moi qui politise le discours philosophique. C'est un fait qu'il peut avoir des implications politiques, qu'il faut autant que possible essayer de prévoir avant que les circonstances ne se chargent de les révéler et de les réaliser. Ce qui est absurde, c'est de dire, comme on l'a fait à une certaine époque, que tout dans la philosophie est politique ou que les controverses philosophiques doivent êtres reconstruites en termes de « lutte de classe dans la théorie ». C'est un exemple typique d'utilisation dogmatique du processus de réduction de la complexité. Certaines prises de position philosophiques n'ont vraisemblablement aucune conséquence politique bien définie. Et les conséquences que l'on peut tirer dans certains cas sont presque toujours nettement plus indécises et dépendantes du contexte qu'on ne le croit généralement.

« En fait, ce contre quoi je proteste est à la fois le manque de subtilité dans la détermination et l'anticipation des conséquences, et une façon totalement irresponsable de s'en désolidariser le moment venu, en se contentant d'affirmer que l'on n'a pas été " compris ". Les philosophes devraient songer que leurs écrits ne peuvent pas être lus uniquement par des spécialistes du commentaire de textes ou de l'histoire de la philosophie. Cela étant, votre question correspond à un problème majeur : y a-t-il ou non une autonomie (relative) de la problématique philosophique? Il est facile de se rendre compte que la communauté philosophique est pour l'instant complètement divisée sur ce point crucial. »

— *Vous citez presque uniquement des auteurs étrangers pour soutenir votre jugement et vos analyses. Ne va-t-on pas vous accuser d'opposer ainsi une autre forme de « terrorisme » à celles que vous dénoncez?*

— Il y a naturellement des philosophes français que j'admire et dont j'ai énormément appris, comme Canguilhem, Granger, Vuillemin et d'autres. Mais comme vous pouvez le constater, ce ne sont généralement pas ceux dont on parle le plus dans les journaux. Ils appartiennent plutôt à la catégorie de ceux que les journalistes appellent avec un certain mépris des « professeurs ». Pour les autres, je puis bien admirer, comme tout le monde, le talent et apprécier la performance. Mais le résultat me laisse trop souvent une impression de gratuité totale. Au fond, j'ai une conception de la philosophie tout à fait antihéroïque : je fais partie des gens qui aiment mieux avoir raison avec Aron que tort avec Sartre ou Althusser, bien que ce soit certainement moins exaltant. Même en philosophie, les vérités modestes et durables m'intéressent plus que les erreurs grandioses et passagères qui passent généralement pour indispensables.

« Bien entendu, si j'avais trouvé chez les philosophes français contemporains une réponse aux questions philosophiques que je me pose ou même simplement une volonté de les discuter sérieusement, je les aurais utilisés ou cités plus volontiers. J'ai fait mon apprentissage philosophique au milieu de gens qui m'expliquaient que les problèmes philosophiques qui m'intéressaient le plus étaient " idéologiques ", " dépassés ", " archaïques "... Je me suis donc tourné vers une autre tradition, comme le font tous les gens qui ne se sentent pas chez eux dans la leur.

« De façon générale, la philosophie française contemporaine est beaucoup trop littéraire pour mon goût (et mes aptitudes). Pour moi, la philosophie est et reste une discipline argumentative. Ou, plus exactement, il me semble indispensable que ce style philosophique continue à être représenté et défendu, à côté de l'autre. Là où vous parlez de " terrorisme ", je parlerais plutôt pour ma part simplement de pluralisme. Je n'ai jamais trouvé très intéressant de parler des choses dont tout le monde parle déjà.

« Et j'estime avoir été plus utile en essayant de faire découvrir au public français des auteurs et des questions qui étaient alors largement ignorées. Je ne me suis naturellement pas intéressé à Wittgenstein parce qu'il était étranger, mais parce que j'avais cru reconnaître en lui un philosophe important, plus important en tout cas que beaucoup de petits maîtres bien français qui passaient à l'époque pour des génies. »

– *Quand vous parlez de la « pauvreté actuelle » de la philosophie française, vous n'incriminez pas tellement les journaux et les médias, contrairement à des analyses courantes aujourd'hui.*

– Les responsables de la pauvreté actuelle de la philosophie sont les philosophes eux-mêmes. Ce que l'on peut reprocher aux médias est uniquement de ne pas faire ce qu'ils sont supposés faire, à savoir informer. Ce qui signifie naturellement avant toute chose s'informer. Il y a une responsabilité des médias dans la mesure où le sort des publications philosophiques dépend de plus en plus de leurs engouements et de leurs partis pris, c'est-à-dire du bon plaisir d'une autorité qui s'exerce de façon à peu près complètement arbitraire et favorise outrageusement certaines entreprises – à peu près toujours les mêmes – en ignorant ouvertement tout le reste.

« Mais je me méfie beaucoup des philosophes qui s'empressent d'accuser les médias, en oubliant que la toute-puissance des médias, pour autant qu'elle soit réelle, aurait été impensable sans la complicité active ou passive d'un nombre suffisamment élevé d'intellectuels. Les intellectuels ne sont pas obligés d'accepter n'importe quoi, et personne ne leur fait violence dans cette affaire.

« J'ai été tout à fait surpris, au moment où la " nouvelle philosophie " a tenté et réussi, à partir d'un contenu philosophique à peu près inexistant, une opération publicitaire de grande envergure, de voir des philosophes comme Gilles Deleuze proposer l'instauration d'une sorte de code de déontologie des intellectuels à l'égard des médias. Si les représentants (supposés) de l'intellect ne comprennent pas immédiatement et instinctivement qu'ils ne peuvent accepter certaines choses sans se déconsidérer et se ridiculiser, à quoi pourrait bien servir la formation de règles ou de principes qui de toute façon ne seront pas respectés? Un mouvement de résistance des intellectuels n'aurait été possible qu'à la condition de reposer sur une base suffisamment large et tout à fait spontanée. C'est un fait qu'il n'a pas eu lieu. »

Didier ÉRIBON,
19 février 1984.

Jacques Bouveresse est né en 1940.
Professeur à l'université de Paris-I et à l'université de Genève.

Ouvrages

La Parole malheureuse, 1971.
Wittgenstein : La Rime et la raison, 1973.
Le Mythe de l'intériorité, 1976.
Le Philosophe chez les autophages, 1984.
   Tous ces livres sont parus aux éditions de Minuit.

Jacques Derrida

« Au-delà du partage entre philosophie et littérature, peut se profiler
une *trace* qui ne soit pas encore langage, ni parole, ni écriture, ni signe,
ni même " le propre de l'homme ". »

*Écrivain, enseignant à l'École normale supérieure de
la rue d'Ulm, Jacques Derrida travaille l'écriture.
Dans des livres difficiles, il montre comment la
tradition occidentale privilégie la voix par rapport à
l'écriture. Formés et déformés par le modèle de
l'écriture alphabétique, nous avons tendance à ne
considérer l'écrit que comme l'enregistrement de la
voix, du logos. Derrida, qui analyse, avec minutie,
cette perspective irréfléchie, défait ce socle de notre
métaphysique.*

*Après avoir participé à la fondation du Groupe de
recherche sur l'enseignement de la philosophie, Derrida fut l'un des animateurs des Etats généraux de la
philosophie, réunis à la Sorbonne en juin 1979, pour
défendre cette discipline. Il est directeur du Collège
international de philosophie, créé en 1983.*

– *Votre premier travail marquait un intérêt pour la phénoménologie, et vous aviez publié une introduction à* L'Origine de la géométrie.

– A cette époque, la phénoménologie se tournait plus volontiers, en France, vers les problèmes de l'existence, de la conscience perceptive ou préscientifique. Une autre lecture de Husserl était aussi nécessaire, qui relancerait des questions sur la vérité, la science, l'objectivité. Comment un objet mathématique se constitue-t-il depuis ou sans le sol de la perception? Quelle est l'historicité originale d'un objet, d'une tradition et d'une communauté scientifique...? Pour les étudiants de ma génération, ces enjeux étaient aussi politiques, j'en prends pour signe la fascination qu'exerçaient sur certains d'entre nous des travaux comme ceux de Tran Duc Tao *(Phénoménologie et matérialisme dialectique).*

« Mais ce qui m'a d'abord séduit dans ce qui fut presque le dernier texte de Husserl, c'est ce qu'il dit de l'écriture, de façon à la fois nouvelle et embarrassée, un peu énigmatique : la notation graphique n'est pas un moment auxiliaire dans la formalisation scientifique. Tout en lui faisant courir un danger, elle est indispensable à la constitution même de l'objectivité idéale, à l'idéalisation. Ceci m'a conduit à ce qui me paraissait être la limite même de l'axiomatique husserlienne, de ce que Husserl appelle le " principe des principes " intuitionniste de la phénoménologie. J'ai ensuite continué à interpréter dans ce sens d'autres textes de Husserl, le plus souvent en y privilégiant les thèmes du signe, du langage, de l'écriture, du rapport à l'autre, comme dans *La Voix et le phénomène.* Puis je me suis éloigné, si on peut dire, de la phénoménologie, injustement sans doute et non sans remords... »

– *A l'époque, les philosophes rêvaient beaucoup sur les fameux manuscrits inédits de Husserl, que l'on ne pouvait consulter qu'à Louvain.*

– J'y suis allé, intrigué aussi par le mystère qu'on faisait autour des inédits sur la temporalité, la « genèse passive », l' « alter ego ». La minutie acharnée de Husserl s'épuise dans ces zones où le « je » est dépossédé de sa maîtrise, de sa conscience et même de son activité.

– *Votre travail philosophique fait de la problématique de l'écriture un roc essentiel. Vous brisez les frontières – mal tenues d'ailleurs – entre la littérature et la philosophie. Pour ce faire, vous fréquentez beaucoup des textes lisières comme ceux de Mallarmé ou de Blanchot.*

– Mon premier désir allait sans doute du côté où l'événement littéraire traverse et déborde même la philosophie. Certaines « opérations », dirait Mallarmé, certains simulacres littéraires ou poétiques nous donnent parfois à penser ce que la théorie philosophique de l'écriture méconnaît, ce que parfois elle interdit violemment. Pour analyser l'interprétation traditionnelle de l'écriture, sa connexion essentielle avec l'essence de la philosophie, de la culture et même de la pensée politique occidentales, il fallait ne s'enfermer ni dans la philosophie comme telle ni même dans la littérature.

« Au-delà de ce partage peut se promettre ou se profiler une singularité de la *trace* qui ne soit pas encore langage, ni parole, ni écriture, ni signe, ni même le " propre de l'homme ". Ni présence ni absence, au-delà de la logique binaire, oppositionnelle ou dialectique. Dès lors, plus question d'opposer l'écriture à la parole, aucune protestation contre la voix; j'ai seulement analysé l'autorité qu'on lui a prêtée, l'histoire d'une hiérarchie. »

– *Certains commentateurs américains ont parlé d'une influence du* Talmud.

– Oui, et on peut s'amuser à se demander comment quelqu'un peut être influencé par ce qu'il ne connaît pas. Je ne l'exclus pas. Si je regrette tant de ne pas connaître le *Talmud,* par exemple, c'est peut-être qu'il me connaît lui, qu'il s'y connaît en moi. Une sorte d'inconscient, n'est-ce pas, et on peut imaginer des trajets paradoxaux. J'ignore malheureusement l'hébreu. Le milieu de mon enfance algéroise était trop colonisé, trop déraciné. Je n'y ai reçu, en partie par ma faute sans doute, aucune vraie culture juive. Mais comme je ne suis venu en France, pour la première fois, qu'à l'âge de dix-neuf ans, il doit bien en rester quelque chose dans mon rapport à la culture européenne et parisienne.

— *Dans les années soixante, on parlait beaucoup de la fin de la philosophie. Pour certains, cela impliquait qu'il était temps de passer à l'action; pour d'autres, que la philosophie n'était que le mythe de l'ethnie occidentale. Or, pour vous, on ne peut opérer qu'à l'intérieur du champ de la raison. Il n'y a pas d'extériorité.*

— Je préférais parler alors de « clôture de la métaphysique ». La clôture n'est pas la fin, c'est plutôt, depuis un certain hégélianisme, la puissance contrainte d'une combinaison à la fois épuisante et infatigable. Cette clôture n'aurait pas la forme d'un cercle (représentation pour la philosophie de sa propre limite) ou d'une bordure unilinéaire par-dessus laquelle on pourrait sauter, vers le dehors, par exemple vers une « pratique » enfin non philosophique! La limite du philosophique est singulière, son appréhension ne va jamais, pour moi, sans une certaine réaffirmation inconditionnelle. Si on ne peut la nommer directement éthique ou politique, il y va néanmoins des conditions d'une éthique ou d'une politique, et d'une responsabilité de « pensée », si vous voulez, qui ne se confond pas strictement avec la philosophie, la science ou la littérature en tant que telles...

— *Vous venez de nommer la science. Le marxisme et la psychanalyse ont tour à tour prétendu avoir vocation à la science.*

— Le milieu dans lequel j'ai commencé à écrire était très marqué, voire « intimidé » par le marxisme et par la psychanalyse dont la revendication scientifique était d'autant plus violente que leur scientificité n'était pas assurée. Cela se présentait un peu comme l'anti-obscurantisme, les « lumières » de notre siècle. Sans jamais rien faire contre les « lumières », j'ai essayé, discrètement, de ne pas céder à l'intimidation. Par exemple en déchiffrant la métaphysique encore à l'œuvre dans le marxisme ou dans la psychanalyse, sous une forme qui n'était pas seulement logique ou discursive, mais parfois terriblement institutionnelle et politique.

   – *Essayons de marquer votre écart par rapport à Lacan.*
   – La psychanalyse doit à Lacan certaines de ses avancées les plus originales. Elle en a été portée à ses limites, parfois au-delà d'elle-même, et c'est surtout par là qu'elle garde heureusement cette valeur de provocation pour le plus vivant de la philosophie aujourd'hui, de la littérature et des sciences humaines aussi. Mais c'est pourquoi elle requiert aussi la lecture la plus vigilante. Car il reste, en contrepartie, que toute une configuration systématique du discours lacanien (surtout dans les *Écrits,* mais encore au-delà) m'a paru répéter ou assumer une grande tradition philosophique, celle-là même qui appelait des questions déconstructrices (sur le signifiant, le logos, la vérité, la présence, la parole pleine, un certain usage de Hegel et de Heidegger...). Répétition du logocentrisme et du phallocentrisme dont j'ai proposé une lecture dans *Le Facteur de la vérité.*
   « Le séminaire de Lacan sur *La Lettre volée* de Poe ne reproduit pas seulement un geste de maîtrise courante dans l'interprétation d'une écriture littéraire à des fins illustratives (effacement de la position du narrateur, méconnaissance de la formalité littéraire, découpage imprudent du texte...), il le fait comme Freud et, pour me servir du mot de Freud lui-même, au nom d'une " théorie sexuelle ". Celle-ci ne va jamais – voilà un des enjeux de la chose – sans une institution, une pratique et une politique très déterminées. »

– *Vous avancez que parler contre Hegel, c'est encore confirmer Hegel. Aux grands affrontements, aux abandons, aux pseudo-sorties, vous préférez des déplacements infimes mais radicaux. Vous pratiquez une stratégie du déplacement.*

– Les critiques frontales et simples sont toujours nécessaires, elles sont la loi de rigueur dans l'urgence morale ou politique, même si on peut discuter de la meilleure formulation pour cette rigueur. Frontale et simple doit être l'opposition à ce qui se passe aujourd'hui en Pologne ou au Moyen-Orient, en Afghanistan, au Salvador, au Chili ou en Turquie, aux manifestations de racisme plus près de nous, et à tant de choses plus singulières et sans nom d'État ou de nation.

« Mais il est vrai – et il faut mettre ces deux logiques en rapport – que les critiques frontales se laissent toujours retourner et réapproprier en philosophie. La machine dialectique de Hegel est cette machination même. Elle est ce qu'il y a de plus terrifiant dans la raison. Penser la nécessité de la philosophie, ce serait peut-être se rendre en des lieux inaccessibles à ce programme de réappropriation. Je ne suis pas sûr que cela soit simplement possible et calculable, c'est ce qui se dérobe à toute assurance, et le désir à cet égard ne peut que s'affirmer, énigmatique et sans fin. »

– *Ce que nous aurions hérité sous le nom de Platon et de Hegel serait toujours intact et provocant.*

– Oh oui, j'ai toujours le sentiment que, malgré des siècles de lecture, ces textes restent vierges, pliés dans une réserve, encore à venir. Ce sentiment cohabite en moi avec celui de la clôture et de l'épuisement combinatoire dont je parlais à l'instant. Sentiments contradictoires, au moins en apparence, mais c'est ainsi et je ne peux que l'accepter. C'est au fond ce que j'essaie de m'expliquer. Il y a le « système » et il y a le texte, et dans le texte des fissures ou des ressources qui ne sont pas dominables par le discours systématique : à un certain moment, celui-ci ne peut plus répondre de lui-même. Il entame spontanément sa propre déconstruction. D'où la nécessité d'une interprétation interminable, active, engagée dans une micrologie du scalpel à la fois violente et fidèle...

— *Vous pratiquez la déconstruction, non pas la destruction. Ce mot signifierait peut-être une manière de défaire une structure pour en faire apparaître son squelette. La déconstruction — qui faisait partie d'une chaîne — a connu une grande vogue. Elle est apparue dans un contexte dominé par le structuralisme. Elle a sans doute permis à certains de sortir du « tout est joué ».*
— Oui, le mot n'a pu faire fortune, ce qui m'a surpris, qu'à l'époque du structuralisme. Déconstruire, c'est un geste à la fois structuraliste et antistructuraliste : on démonte une édification, un artefact, pour en faire apparaître les structures, les nervures ou le squelette, comme vous disiez, mais aussi, simultanément, la précarité ruineuse d'une structure formelle qui n'expliquait rien, n'étant ni un centre, ni un principe, ni une force, ni même la loi des événements, au sens le plus général de ce mot.

« La déconstruction comme telle ne se réduit ni à une méthode (réduction au simple) ni à une analyse; elle va au-delà de la décision critique, de l'idée critique même. C'est pourquoi elle n'est pas négative, bien qu'on l'ait souvent, malgré tant de précautions, interprétée ainsi. Pour moi, elle accompagne toujours une exigence affirmative, je dirai même qu'elle ne va jamais sans amour... »

— *Vous avez inventé également le concept de différance. Différer, c'est ne pas être même, c'est aussi remettre à plus tard. Tout une partie de votre travail sur la différance remet en question l'illusion de la présence à l'être. Vous défaites les figures de la présence, des objets, de la conscience, de soi à soi, de la présence de la parole.*
— Comment le désir de présence se laisserait-il

détruire? C'est le désir même. Mais ce qui le donne, lui donne sa respiration et sa nécessité – ce qu'il y a et qui reste donc à penser – c'est ce qui dans la présence du présent ne se présente pas. La différ*a*nce où la trace ne se présente pas, et ce presque rien de l'imprésentable, les philosophes tentent toujours de l'effacer. C'est cette trace pourtant qui marque et relance tous les systèmes.

– *Chez vous tout signe est sens graphique, ou plutôt tout graphisme est signe. Mais il n'y a pas là un renversement. Il ne s'agit pas de dire : jusqu'ici la parole a dominé l'écriture, faisons l'inverse.*

– Bien sûr, mais l'inversion ou le renversement classique, je le suggérais tout à l'heure, est aussi inéluctable dans la stratégie des luttes politiques : par exemple contre la violence capitaliste, colonialiste, sexiste... Ne considérons pas cela comme un moment ou seulement une phase : si dès le départ une autre logique ou un autre espace ne s'annoncent pas claire-ment, le renversement reproduit et confirme à l'envers ce qu'il a combattu.

« Quant aux enjeux de l'écriture, ils ne sont pas délimitables. Tout en démontrant qu'elle ne se laisse pas assujettir à la parole, on peut ouvrir et généraliser le concept de l'écriture, l'étendre jusqu'à la voix et à toutes les traces de différence, tous les rapports à l'autre. Cette opération n'a rien d'arbitraire, elle trans-forme en profondeur et concrètement tous les problè-mes. »

– *Dans* De la grammatologie, *vous commentiez la leçon d'écriture de* Tristes Tropiques. *Lévi-Strauss montrait comment l'écriture était complice d'une cer-taine violence politique. Dans une société « sans écri-ture », il décrivait l'apparition de ce « mal ».*

– La possibilité de ce « mal » n'attend pas l'appari-tion de l'écriture au sens courant (alphabétique, occi-dental) et des pouvoirs qu'elle assure. Il n'y a pas de société sans écriture (sans marque généalogique, comptabilité, archivation...), pas même de société dite animale sans trace, marquage territorial... Il suffit pour s'en convaincre de ne plus privilégier un certain modèle d'écriture. Le paradis des sociétés sans écriture peut néanmoins garder la fonction si nécessaire des mythes et des utopies. Il vaut tout ce que vaut l'innocence.

– *L'élargissement du concept d'écriture ouvre de nombreuses perspectives anthropologiques.*
– Et au-delà de l'anthropologie, par exemple dans les domaines de l'information génétique. Nous avions consacré un travail de séminaire, de ce point de vue, à l'analyse de *La Logique du vivant*, de François Jacob.

– *Vous avez mis en avant des textes excentriques par rapport à la grande philosophie. Ainsi vous commentez un texte où – à propos de la critique du jugement de goût – Kant parle du vomi.*
– En tout cas, il fait tout ce qu'il faut pour en parler sans en parler.

« L'institution philosophique privilégie nécessairement ce qu'elle en vient à appeler les " grands philosophes " et chez eux les " textes majeurs ". J'ai voulu aussi analyser cette évaluation, ses intérêts, ses procédures internes, ses contrats sociaux implicites. En débusquant des textes mineurs ou marginalisés, en les lisant et en écrivant d'une certaine manière, on projette parfois une lumière violente sur le sens et l'histoire, sur l'intérêt de la " majoration ".

« De telles opérations resteraient impraticables et en vérité illisibles pour une sociologie comme telle, je veux dire tant qu'elle ne mesurerait pas sa compétence à la rigueur interne des textes philosophiques abordés et aux exigences élémentaires, mais combien difficiles, de l'auto-analyse (philosophie ou " sociologie de la sociologie "); bref, cela requiert une tout autre démarche, une tout autre attention aux codes de cette écriture et de cette scène. »

– *Vous avez aussi éclairé ces textes par contiguïté. Ainsi vous avez placé ensemble Genet et Hegel, Heidegger et Freud, dans* Glas *et dans* La Carte postale.

– En dérangeant les normes et la bienséance de l'écriture universitaire, on peut espérer exhiber leur finalité, ce qu'elles protègent ou excluent. La gravité de la chose se mesure parfois, vous le savez, à la haine et au ressentiment dont un certain pouvoir universitaire perd alors tout contrôle. C'est pourquoi il importe de toucher à ce qu'on appelle à tort la « forme » et le code, d'écrire autrement tout en restant intraitable sur le savoir-lire et la compétence philosophiques, simultanément, ce que ne font selon moi ni les protectionnistes de l'analyse dite interne ni les positivistes des sciences humaines, même quand ils paraissent s'opposer. On pourrait montrer qu'ils s'entendent fort bien dans le partage du territoire académique et parlent la même langue.

« Vous faisiez allusion à *Glas* et à *La Carte postale*. On peut aussi les considérer comme des dispositifs construits pour lire, sans toutefois prétendre les dominer, leur propre lecture ou non-lecture, les évaluations ou les méconnaissances indignées auxquelles ils s'exposent : pourquoi serait-il illégitime, interdit (et qui en décide?) de croiser plusieurs " genres ", d'écrire sur la sexualité en même temps que sur le savoir absolu et en lui, d'accoupler Hegel et Genet, une légende de carte postale et une méditation (en acte, si on peut dire) sur ce que " destiner " veut dire, entre Freud et Heidegger, à un moment déterminé de l'histoire des postes, de l'informatique et des télécommunications? »

– *Vous utilisez des mots indécidables. Ainsi l'hymen chez Mallarmé est à la fois la virginité et le mariage, le* Pharmakon *de Platon guérit et empoisonne.*

– Des mots de ce type situent peut-être mieux que d'autres les lieux où le discours ne peut plus dominer, juger, décider : entre le positif et le négatif, le bon et le mauvais, le vrai et le faux. D'où la tentation de les exclure du langage et de la cité, pour reconstituer l'homogénéité impossible d'un discours, d'un texte, d'un corps politique...

– Quant au champ politique, vous n'y avez jamais pris des positions fracassantes; vous avez même pratiqué ce que vous nommez une sorte de retrait.

– Ah, le « champ politique »! Mais je pourrais dire que je ne pense qu'à ça, quoi qu'il y paraisse. Oui, bien sûr, il y a des silences, et un certain retrait, mais n'exagérons rien. A supposer qu'on s'y intéresse, il est très facile de savoir où sont mes choix et mes solidarités, sans la moindre ambiguïté. Je ne le manifeste sans doute pas assez, c'est sûr, mais où est ici la mesure et y en a-t-il une? Souvent il me semble que je n'ai rien à dire que de très typique et commun, alors je joins ma voix ou mon vote, sans prétendre à quelque autorité, crédit ou privilège réservé à ce qu'on appelle si vaguement un « intellectuel » ou un « philosophe ».

« J'ai toujours eu du mal à me reconnaître dans les traits de l'intellectuel (philosophe, écrivain, professeur) tenant son rôle politique selon la scénographie que vous connaissez et dont l'héritage mérite bien des questions. Non que je la dédaigne ou la critique en elle-même; et je crois que, dans certaines situations, il y a là une fonction et une responsabilité classiques qu'on ne doit pas éluder, même si c'est pour en appeler au bon sens et à ce que je considère comme le devoir politique élémentaire. Mais je suis de plus en plus sensible à une transformation qui rend aujourd'hui cette scène un peu ennuyeuse, stérile, parfois traversée des pires procédures d'intimidation (fût-ce pour la bonne cause), sans commune mesure avec la structure du politique, avec les nouvelles responsabilités requises par le développement des médias (quand même on ne tente pas de les exploiter pour de petits bénéfices, hypothèse qui ne serait pas faite pour réconcilier avec cette typologie classique de l'intellectuel).

« C'est un des problèmes les plus graves aujourd'hui, cette responsabilité devant les formes actuelles des mass media et surtout devant leur monopolisation, leur encadrement, leur axiomatique. Car le retrait dont vous parliez ne signifie en rien à mes yeux une protestation contre les médias en général, au contraire, je suis résolument pour leur développement (il n'y en a jamais assez) et surtout pour leur diversification, mais aussi résolument contre leur normalisation, contre des arraisonnements divers auxquels la chose a donné lieu, réduisant en fait au silence tout ce qui ne se conforme pas à des cadres ou à des codes étroitement déterminés et très puissants, ou encore à des fantasmes de " recevabilité ". Mais le premier problème des " media " se pose pour ce qu'on n'arrive pas à traduire, voire à publier dans les langages politiques dominants, ceux qui dictent les lois de recevabilité, justement, à gauche autant qu'à droite.

« C'est pour cette raison que ce qu'il y a de plus spécifique et de plus aigu dans les recherches, les questions ou les tentatives qui m'intéressent (avec quelques autres) peut paraître politiquement silencieux. C'est peut-être qu'il y va d'une pensée politique, d'une culture ou d'une contre-culture, presque inaudibles dans les codes que je viens d'évoquer. Peut-être, qui sait, car on ne peut parler ici que de chances ou de risques à courir, avec ou sans espoir, toujours dans la dispersion et la minorité. »

– *On retrouve là votre engagement militant au sein du Greph, ce Groupe de recherche sur l'enseignement de la philosophie.*
– Le Greph rassemble des enseignants, des lycéens et des étudiants qui veulent justement analyser et changer l'école, et en particulier l'institution philosophique, d'abord par l'extension de l'enseignement philosophique à toutes les classes où l'on enseigne normalement les autres disciplines dites « fondamentales ». François Mitterrand a pris des engagements précis dans ce sens. Nous nous en sommes réjouis et ferons tout pour qu'on ne les enterre pas, comme on peut le craindre depuis quelques mois. De toute façon les

problèmes ne se laisseront pas oublier, ni tous ceux qui mesurent leur gravité et en ont la charge.

« Tout cela en appelle à une transformation profonde des rapports entre l'État, les institutions de recherche ou d'enseignement, qu'elles soient ou non universitaires, la science, la technique et la culture. Les modèles qui s'effondrent maintenant sont en gros ceux sur lesquels ont pris parti, depuis l'aube de la société industrielle, les " grands philosophes " allemands, de Kant à Heidegger, en passant par Hegel, Schelling, Humboldt, Schleuermacher, Nietzsche, avant et après la fondation de l'université de Berlin. Pourquoi ne pas les relire, penser avec eux contre eux, mais en prenant la philosophie en compte? C'est indispensable si l'on veut inventer d'autres rapports entre la rationalisation de l'État et le savoir, la technique, la pensée, passer de nouvelles formes de contrat ou même dissocier radicalement les devoirs, les pouvoirs et les responsabilités. Peut-être faudrait-il maintenant tenter d'inventer des lieux d'enseignement et de recherche hors des institutions universitaires? »

Christian DESCAMPS,
31 janvier 1982.

Jacques Derrida est né en 1930.
Professeur de philosophie à l'École normale supérieure.
Directeur du Collège international de philosophie.

Ouvrages

La Voix et le Phénomène, PUF, 1967.
L'Écriture et la Différence, Seuil, 1967.
De la grammatologie, Minuit, 1967.
Marges, Minuit, 1972.
Positions, Minuit, 1972.
La Dissémination, Seuil, 1972.
Glas, Galilée, 1974.
Mimesis – Des articulations, Aubier-Flammarion, 1975.
La Vérité en peinture, Flammarion, 1978.
La Carte postale, Aubier-Flammarion, 1980.
D'un ton apocalyptique adopté naguère en philosophie, Galilée, 1983.

Maurice de Gandillac

« Dans ma génération, nous étions
nombreux à rêver de concilier l'autorité, la liberté et la justice sociale. »

*Professeur émérite à Paris-I-Sorbonne, Maurice de
Gandillac a été, à l'École normale supérieure, le
camarade de Sartre, de Nizan et de Merleau-Ponty. Il
fut l'intime de Charles Du Bos, de Maritain, le
collègue de Bachelard et de Jean Wahl. Il a notamment traduit Hegel et Bloch. Il continue de diriger la
traduction française de Nietzsche (Gallimard) à partir
de la remarquable édition italienne de Colli et Mon-
tinari.*

*Épris des humanistes de la Renaissance, ce philoso-
phe, qui mêle le goût de la tradition à celui de
l'invention, affirme que la philosophie ne parle pas
seulement grec. Relire avec lui Nicolas de Cues
(1421-1464), c'est se plonger dans une actualité qui, à
bonne distance, prend d'autres reliefs. De Cues qui est
né dans un village de la Moselle, est parti en Italie, a
étudié le droit, la médecine et les mathématiques. Il a
fait le voyage de Constantinople avec le projet de
rassembler – théoriquement et pratiquement – les
cultures. Maurice de Gandillac, qui l'a traduit et fait
connaître en France, aime ce philosophe, qui dit que
l'homme est un animal nu, car il sait aussi qu'il peut
recourir à l'art du tissage pour « vivre de meilleure
façon ».*

– *Si l'on reconstituait vos recherches sur la Renaissance, on y verrait la conciliation de votre goût pour la nouveauté et pour la tradition.*

– Né en 1906, j'ai été contemporain de mutations. Enfant, mon oncle me conduisait sur le champ d'aviation de Juvisy. J'étais passionné par le développement de l'électricité, par la radio. Un jour, mon père m'avait conduit au théâtre des Champs-Élysées, dans un lieu d'où l'on pouvait voir de toutes les places... On y donnait les Ballets russes. Autour de moi, l'on parlait – non sans se scandaliser – des fauves, des cubistes, de Mondrian, de Kandinsky, du cinéma. C'était le temps de Proust et de Joyce, mais on les ignorait. En classe de troisième, mon professeur, Auguste Bailly, le romancier de *Naples au baiser de feu,* nous apprenait à composer des vers latins. J'ai eu très tôt le goût du beau langage; cela me conduit encore, naïvement, à écrire parfois aux journaux pour protester contre les fautes de syntaxe...

– *En matière politique, vos expériences ont été contrastées.*

– Enfant, en août 1914, j'ai eu un sursaut patriotique. Une jeune Allemande, Fraülein de camarades de vacances, nous avait dit au revoir. Petit bonhomme, j'avais refusé de lui serrer la main. Immédiatement après, j'ai eu de tels remords que j'en suis arrivé à faire de grandes déclarations germanophiles. Elles scandalisaient mon entourage. Mais, dans ma famille, on lisait Romain Rolland et ensuite Barbusse; j'y ai sans doute puisé des tendances pacifistes, une sensibilité pour les civilisations étrangères.

– *Pourtant, vous avez été, pour un temps du moins, influencé par Maurras.*

– C'est vrai, mais un livre comme *De Kiel à Tanger* a été redécouvert récemment comme un ouvrage de réflexion, intéressant quant à la situation d'une puissance moyenne entre deux grands blocs. Maurras parlait aussi d'autonomie locale, présentait le roi comme fédérateur de républiques. Et à ses côtés, en 1923, il y avait le proudhonien Georges Valois, anticapitaliste, comme Bernanos, mais de façon plus réfléchie. Après avoir fondé les Faisceaux, qui ont séduit Nizan quelques mois, il devait finir résistant et déporté. Dans ma génération, nous étions nombreux à rêver de concilier l'autorité, la liberté et la justice sociale.

– *Entre les deux guerres, vous suiviez les conférences de Gabriel Marcel. Dans son salon, que fréquentait Sartre, vous étudiiez Jaspers et Heidegger.*
– Alors que Bergson avait bercé de sa rhétorique poétique beaucoup de nos professeurs et que Léon Brunschvicg maintenait la tradition kantienne et néo-kantienne, nous découvrions Kierkegaard et l'existentialisme.

– *Brunschvicg refusait avec vigueur Aristote et Hegel.*
– C'est beaucoup plus tard, à travers le marxisme, que nous nous sommes mis à nous intéresser à Hegel, qu'on nous avait présenté d'abord comme le retour à une scolastique. Ce sont Kojève et Hyppolite qui vont changer la situation. Mais rendons hommage à Brunschvicg; il a fait une très bonne édition de Pascal et c'était un fin connaisseur de Malebranche. Pendant l'Occupation, caché en zone sud sous le nom de M. Brun, il s'est montré stoïque.
« Avec Desjardins et Schlumberger, ce penseur remarquable m'a fait l'honneur de me demander de le seconder dans une décade de Pontigny consacrée au problème du Mal. C'était en 1936, et sa femme était ministre dans le cabinet de Léon Blum. J'avais demandé à Jean Wahl de traiter l'aspect existentiel du problème. Brunschvicg m'a fait barrer ce mot, arguant qu'il n'avait aucun sens... »

– *Vous avez aussi côtoyé Berdiaeff, qui, après avoir été exclu de l'Université russe en raison de ses opinions révolutionnaires, s'est ensuite tourné vers une sorte d'existentialisme spirituel.*

– C'est en partie par lui et par Léon Chestov que j'ai découvert tout un pan de la tradition russe, à la fois gnostique, mystique et proche du romantisme allemand.

– *Vous aviez séjourné dans le Berlin des années trente.*

– A ce moment, le traité de Versailles était considéré comme une honte par la totalité des Allemands, même de gauche. J'ai alors écrit un article d'humeur dans *Esprit,* où je m'élevais contre le droit des Anglais et des Français – étant donné notamment leur politique colonialiste – de représenter la conscience internationale. Nous avons vite compris la nécessité de résister par la force à Hitler; mais nous voyions aussi combien nous en étions incapables. Par ailleurs, cette période était fascinante. En 1929, à Davos, j'avais entendu Cassirer discuter avec Heidegger et rencontré le jeune Lévinas, qui initiait à *Sein und Zeit* (*L'Être et le Temps*).

– *Comment s'est donc noué votre intérêt pour le Moyen Age et la Renaissance?*

– Les cours d'Étienne Gilson m'ont vite permis de comprendre qu'il n'y avait pas de coupure radicale entre l'Antiquité et les Temps modernes! J'avais fait un mémoire de diplôme sur un nominaliste occamiste. J'ai commencé ensuite à étudier Giordano Bruno et, parmi ses sources, j'ai rencontré Nicolas de Cues, auquel je me suis attaché longuement. J'avais fait en 1931 un cours aux Hautes Études sur Pétrarque; et Dante m'a toujours fasciné. Rappelez-vous ce passage magnifique de *L'Enfer* où le poète imagine que le vieil Ulysse repart cette fois-ci à la reconquête de l'Océan, anticipant le voyage de Christophe Colomb.

– *Il n'a pas fallu attendre la Renaissance pour savoir que la Terre était ronde.*

– Évidemment, toute l'Antiquité fait de la rotondité un thème central; le voyage autour de la Terre est annoncé plusieurs fois par Aristote, des colonnes d'Hercule aux Indes. Dante fait dire à Ulysse : « Nous ne sommes pas des bêtes », c'est-à-dire notre vocation est de dominer le monde. Certes, le voyage tourne mal. Ulysse va être puni de sa démesure; mais il est clair que Dante a de la sympathie pour son audace, et il décrit avec précision la traversée de l'Atlantique de ceux qui feront naufrage aux antipodes de Jérusalem, du côté de Valparaiso.

– *Nicolas de Cues va inventer une nouvelle épistémologie, une nouvelle cosmologie. Il proclame à la fois la force et les limites de l'intellect humain.*
– Comme l'a vu Cassirer, sa théorie de la connaissance en fait un précurseur de Descartes et de Kant. La pensée humaine a pour lui valeur régulatrice. Il attache une grande importance à la mathématisation du savoir, ainsi qu'à la technique. Il se passionne pour les instruments de mesure : il propose de peser la respiration... Il aimerait que les gouvernements s'intéressent à l'inventaire du savoir.

– *La* docte ignorance *se fait incapable d'atteindre l'infini, mais, par là, elle établit des frontières qui seront les fondements du savoir.*
– Dans les *Conjectures,* on trouve une réflexion sur l'esprit connaissant, sur le temps, sur ce que nous appellerions aujourd'hui les concepts opératoires. Au concile de Bâle, il avait présenté un projet de réforme du calendrier, qui devra attendre un siècle pour être mis en place.

– *Il met en doute les limites des sexes : pour lui, il y a de l'homme chez la femme et de la femme chez l'homme. Il anticipe le thème moderne de la bisexualité.*
– Dans une perspective assez proche du stoïcisme, pour lui tout participe de tout. Il y a donc des éléments

mâles chez la femme et inversement. Le plus intéressant est l'accent mis sur l'égalité et la complémentarité, car on n'avait pas attendu la psychanalyse pour savoir que l'homme avait des petites mamelles et les femmes des clitoris!

– *S'il n'oppose pas les sexes, il ne pose pas non plus de coupure absolue entre fini et infini.*
– En effet, d'une part, l'infini est un mouvement indéfini, asymptotique, mais la limite est présente, de façon dynamique, au cœur même du fini. Dans le monde de la mathématique, une circonférence qui aurait un rayon infini deviendrait droite. Le Cusain a beaucoup travaillé sur les passages à la limite.

– *L'Univers pour lui n'a donc pas de centre, sa circonférence n'est nulle part. Il applique à la « machine du monde » cette formule jusqu'alors réservée à Dieu.*
– Il va jusqu'à imaginer le voyage d'un astronaute. Supposons qu'un homme s'élève jusqu'à la Lune, puis jusqu'à Mars; partout on se voit au centre du monde. Il n'y a plus ni droite ni gauche, ni haut ni bas. Le cosmos est relativisé. Cette intuition dépasse la révolution de Copernic, qui se contente de mettre le Soleil à la place de la Terre. Elle annonce Bruno et la pluralité des mondes.

– *En 1453, au moment de la chute de Constantinople, prince-évêque dans le Tyrol, au lieu de prêcher la croisade contre les Turcs, il propose la confrontation. Pour lui, si on lit bien le Coran, on y trouve le christianisme. Ce qu'il appelle la « paix de la foi » suppose la convergence des philosophies et des religions.*
– Ami du grand pape humaniste Pie II, il s'occupe aussi du temporel; il propose même un plan d'assèchement des marais Pontins. Il va beaucoup plus loin que le syncrétisme; il voit dans les dogmes de la Trinité et de l'Incarnation des notions universelles. Il les retrouve

dans la dialectique de l'unité, de l'égalité et de la synthèse; d'autre part, entre l'infini divin qui est inaccessible et le monde indéfini, seul l'homme (Dieu humanisé) fait le lien.

— *Il y a là un idéal de paix qui veut se mettre en place à travers une pensée commune.*

— Alors que Dante imagine la paix par un empire universel, le Cusain se rend parfaitement compte que seul le fédéralisme pourrait y parvenir. Déjà dans son utopie anticipatrice de 1423, *De la concordance catholique*, il propose de réformer à la fois l'Église et l'Empire, le pape n'est alors que *primus inter pares*.

— *Trois siècles plus tôt, Abélard avait imaginé un dialogue entre le juif, le chrétien et le philosophe.*

— Il voulait concilier les traditions juive, chrétienne et hellénique. Mais il ne connaissait pas les autres religions et, en particulier, n'instituait pas de confrontation avec l'islam. J'ai été frappé de le voir décrire avec autant de pertinence la condition juive. Il dit que celle-ci est imposée à cette minorité par l'image qu'on se fait d'elle. Empêché de posséder des terres et d'être fonctionnaire ou militaire, le juif est réduit au commerce de l'argent. Mais, comme le Lévitique interdit l'usure, c'est aux chrétiens qu'il prête, provoquant leur haine.

« Abélard refuse de les accuser de déicide; ils ont agi selon leur conscience en refusant celui qu'ils considéraient comme un blasphémateur. Mais il se demande pourquoi les " gentils " – c'est-à-dire les musulmans, – eux aussi, détestent les juifs. Sa réponse, c'est qu'ils leur ont pris leur terre! Voyez, nous sommes tout près des proclamations de l'OLP! En effet, la Terre promise, au temps de Josué, était occupée. Elle a été conquise, certes, par ordre de Dieu, mais par la violence. Quand Saül s'est montré un peu trop conciliant avec les ennemis, Dieu l'a remplacé par David.

« Au XIIᵉ siècle, alors que les communautés juives vivaient surtout hors de Terre sainte, notamment en

Espagne, à Alexandrie ou en Sicile, la question de la terre des Philistins – ce nom ancien des Palestiniens – n'était pas encore d'actualité; Abélard est prophétique. »

– *Pendant les années quarante, vous consacrez une part importante de votre travail à Maître Eckhart.*
– On pouvait publier ses œuvres puisqu'il était allemand! Il y eut alors deux traductions, chez Gallimard et chez Aubier. J'ai revu et préfacé celle de Molitor, traducteur de Marx. Eckhart a influencé Nicolas de Cues, mais aussi (paradoxalement) des révolutionnaires comme Thomas Münzer. Il plonge ses racines dans le néo-platonisme et est assez proche de la tradition védantique. Hegel a connu Eckhart par la bulle qui condamna ses formules les plus hardies. Il s'est intéressé à cette dialectique du oui et du non, de l'intérieur et de l'extérieur, de l'objectif et du subjectif.

« Dans les années 1942-1943, aux Hautes Études, je parlais devant un auditoire qui se vidait peu à peu pour partir au STO ou au maquis. Mais il était d'une certaine manière consolant, dans cette époque dramatique, de pouvoir traiter de questions qui n'étaient pas directement d'actualité. Cela ne nous empêchait aucunement, à la sortie, de revenir rudement au quotidien. Mais il fallait lutter contre la confiscation d'Eckhart par les nazis. Il suffisait de le lire pour voir qu'il n'y avait pas dans cette œuvre trace de pangermanisme ou de racisme. »

– *Münzer – qui avait lu Eckhart – s'est fait théologien de la révolution.*
– S'il a tant intéressé Ernst Bloch, c'est précisément parce qu'il était nourri des grands prophètes juifs. Toute sa vie il a été incompris, victime finalement de la coalition des princes catholiques et luthériens. Il a pris au sérieux les promesses d'un monde nouveau, combinant la Bible et Platon. Tout cela s'est terminé par un massacre terrible. On sent bien l'atmosphère de cette

époque dans *L'Œuvre au Noir* de Marguerite Yource-
nar. A ces visions, je préfère, pour ma part, une utopie
plus lucide, comme celle de Thomas More.

– *Pourtant, ses projets de société idéale sont particulièrement redoutables.*
– Peut-être, mais en Anglais réaliste, il fait la
critique la plus radicale du capitalisme marchand de
son temps. Il ne croit pas au paradis sur terre. Dans son
île isolée, on a pourtant besoin de produire, durement.
Cela suppose le travail obligatoire, l'interdiction des
voyages – les passeports intérieurs, – le bagne pour les
délinquants. On est dans un régime policier. Pourtant,
ce chrétien, ce futur martyr, était parti d'un principe
de plaisir qu'il plaçait à la base de la morale. Tout cela
devrait nous amener à réfléchir, comme le fait Aristote,
sur le fait que le meilleur régime politique n'est jamais
que le moins mauvais.

Christian Descamps,
20 mars 1983.

Maurice de Gandillac est né en 1906, normalien, professeur émérite
à l'université de Paris-I-Sorbonne.
Codirige la traduction française de Nietzsche chez Gallimard.
Traducteur de *La Propédeutique philosophique*, de Hegel,
Minuit.

Ouvrages

La Philosophie de Nicolas de Cues, 1941.
Denis l'Aréopagite, 1943.
La Sagesse de Plotin, Hachette, 1952; rééd. Vrin, 1966.
Valeur du temps dans la pédagogie spirituelle de Jean Tauler,
Vrin, 1966.

Ouvrages en collaboration

Genèse et structure, avec Lucien Goldmann et Jean Piaget, Mou-
ton, 1965.
La Pensée économique au Moyen Age, avec Jacques Fontaine,
Baconnière, 1966.

Présentation et traduction des *Œuvres choisies*, de Pierre Abélard, *Logique, éthique, dialogue entre un philosophe, un juif et un chrétien,* Aubier-Montaigne, 1945.

Un ouvrage d'hommage à Maurice de Gandillac, *L'Art des Confins,* doit sortir prochainement aux PUF.

René Girard

« Sciences de l'homme et message
évangélique se rejoignent aujourd'hui. »

La publication, en 1978, du livre de René Girard,
Des choses cachées depuis la fondation du monde, *a
provoqué de violentes polémiques dans le milieu intellectuel. Expérimentant, à travers les textes anthropologiques et les œuvres majeures de la littérature, ce
qu'il appelle l'« hypothèse mimétique », René Girard
souligne que la violence, le « meurtre fondateur », est
à l'origine de toute société, de toute culture humaine.
En détournant sur une victime émissaire, bientôt
immolée, la violence mimétique déchaînée entre les
membres du groupe, le meurtre fondateur restaure la
paix sociale et fonde le religieux. Rites et interdits,
dans toutes les sociétés, ne visent dès lors qu'à prévenir
le retour de violence mimétique ou répéter les mécanismes, simulés ou non, du sacrifice pacificateur.*

*L'interprétation que donne René Girard du phéno-
mène religieux, la place privilégiée – exclusive? – qu'il
accorde au « désir mimétique » renvoient évidemment
à leur échec les « pensées modernes » – structuralisme,
freudisme – dont Girard se veut pourtant le continua-
teur.*

*Son œuvre débouche sur une relecture non sacrifi-
cielle du Nouveau Testament en qui il voit le texte le
plus « subversif » de l'histoire de l'humanité.*

– En 1973, dans un débat publié par la revue Esprit, *vous disiez : « Il faut penser scandaleuse-ment. » Vous voilà servi. Il y a bien désormais un « scandale Girard ». Mais pourquoi diable en 1979? Ce que vous écriviez déjà voici six ans – c'est-à-dire la même chose* [1] *– n'avait pas suscité cet extraordinaire remous. Il y a une escalade surprenante, aussi bien dans le tirage de vos livres que dans la polémique dont vous êtes l'objet...*

– Je pense que c'est dû à un profond changement de la situation intellectuelle en France. Beaucoup d'idées, de thèmes directeurs, qui dominaient la période précédente – en remontant peut-être même avant l'existentialisme – sont en train de s'écrouler ou, tout au moins, d'être ébranlés. L'ébranlement idéologique que nous connaissons – et dont on parle beaucoup – n'est peut-être que l'aspect le plus superficiel de ce qui se passe en ce moment sur le plan de l'intelligence. Il y a un désarroi profond, une recherche, qui font que les esprits sont sans doute plus disposés à entendre certaines choses.

– C'est vrai qu'en très peu de temps, on a bruyamment annoncé la fin du marxisme, du structuralisme, de la psychanalyse, de l'utopie révolutionnaire... On a l'impression que tout cela exprime une crise beaucoup plus fondamentale de la pensée liée à une période historique donnée. Serait-ce là votre chance?

– Ce qu'on découvre aujourd'hui, c'est que la violence collective cherche à désacraliser les institutions, à détruire l'idolâtrie du pouvoir, c'est-à-dire à détruire certaines formes de sacré peut-être dégénérées; mais dans la mesure où cela s'effectue dans la violence, on reste toujours dans le rite, et des formes de resacralisation apparaissent.

« De nouveaux travaux, sur la Révolution française en particulier, la définissent maintenant comme passage du sacré devenu très anodin, très vieilli – le droit divin du monarque, – au sacré de la nation qui a une virulence extraordinaire. On découvre en fait les limites de la désacralisation violente; les processus religieux changent de forme mais persistent.

« Disons aussi que depuis des années nous vivons dans un certain conformisme intellectuel qui sort du freudisme – et qui n'est d'ailleurs peut-être pas conforme à l'attitude de Freud, – qui est un conformisme anti-interdit. C'est ce qui me paraît caractériser la pensée actuelle : l'idée que l'interdit est purement gratuit, que l'interdit est du fantasme. Je m'oppose absolument à cela. J'ai même l'impression que cette fanfaronnade de la transgression est une attitude terriblement réactionnaire. L'attitude bourgeoise par excellence.

« Au niveau de l'anthropologie, il est très important, pour une lecture du religieux, de comprendre que même les interdits les plus absurdes en apparence, ou même les interdits qui sont effectivement absurdes, ne sont pas nécessairement insensés. Je donne toujours à ce propos l'exemple des jumeaux biologiques : il est bien évident qu'en supprimer un ou supprimer les deux, comme le commandaient certains interdits anciens, est abominable mais, en même temps, ce n'est pas insensé puisque les gens qui faisaient cela s'imaginaient reconnaître dans les jumeaux les porteurs d'une violence qui risquait de contaminer la société tout entière par le biais de la rivalité mimétique. »

– On peut se demander alors si votre intention est de réhabiliter l'interdit. Certains secteurs de la droite paraissent tout prêts à voir en vous l'idéologue d'un nouveau moralisme, de nouvelles « différences »?

– Non. On ne ressuscite pas un interdit qui a disparu; on ne remet pas en marche des mécanismes désacralisés. Les ressusciter artificiellement c'est forcément échouer ou alors tomber dans le totalitarisme. A mon avis, le totalitarisme, justement, consiste à essayer de refonder autoritairement des interdits, des protections sacrificielles qui n'existent plus. Lorsque, dans mes analyses, je parle du primitif, je ne parle jamais de notre société; je parle d'une société qui n'est pas exposée au ferment judéo-chrétien. L'action de ce ferment dans notre univers milite au contraire contre les interdits et aussi, finalement, contre les rites sacrificiels.

« Bien sûr, je me sens solidaire de toute l'entreprise politique moderne qui est éminemment égalitariste sur le plan social, qui veut supprimer les barrières, créer une société mondiale... Mais je pense que le véritable problème de l'action politique aujourd'hui, c'est l'interaction entre le fond primitif immémorial dont nous sortons – les apparences politiques, ethniques... – et l'action de ce ferment judéo-chrétien. En tout cas, ceux qui croient accélérer l'évolution du monde par la violence se trompent radicalement puisque, sans s'en douter, ou par une espèce de ruse du primitif en nous, ils refont du rite, mais peu réconciliateur, refabriquent du sacré de second ordre. Le bouleversement intellectuel dont vous parlez, c'est peut-être la prise de conscience de ce phénomène. »

– *N'empêche que votre attitude et votre plaidoyer non violent restent imprégnés d'un curieux moralisme, je dis curieux parce que cette morale ne se formule jamais explicitement...*

– Je pourrais vous citer une parole de Simone Weil dans *L'Enracinement* : « Se déraciner soi-même, dit-elle, c'est la plus grande des choses, c'est la vie spirituelle. Déraciner les autres, c'est un crime, surtout par la violence. » Ça me paraît tout à fait fondamental. Se déraciner soi-même c'est échapper à des appartenances qui nous limitent.

« Mais déraciner les autres, c'est peut-être les jeter dans le désarroi absolu. Sans doute est-il seulement possible d'aider les autres à se déraciner eux-mêmes, c'est-à-dire à participer à ce grand mouvement vers l'inconnu et hors du cocon sacrificiel et culturel qui est celui de l'humanité depuis des millénaires. J'ai l'impression de ne rien dire qui m'appartienne en propre.

« A beaucoup de points de vue, je ne me sens pas moraliste. Mais j'ai l'impression que notre destin est un chemin étroit entre le conservatisme qui maintient les rites et fossilise l'histoire et le faux révolutionnarisme qui, en refaisant de la violence, refait d'autres rites souvent plus terrifiants, exigeant plus de victimes que les rites antérieurs. Pour en revenir à la morale, nous venons de vivre une époque où elle était non seulement rejetée au second plan, mais complètement niée, en faveur, par exemple, d'une lecture – pas toujours très profonde – de Nietzsche. Avec les réalités de l'univers technologique actuel, il est de plus en plus facile, en transgressant ce qu'on appelle la morale traditionnelle, de porter tort littéralement – et au sens fort – à son voisin.

« Penser aujourd'hui qu'on peut vivre dans un univers sans morale est une absurdité. La surenchère est universelle chez les intellectuels, mais, en France, elle a pris un tour particulièrement irréel à partir du surréalisme et elle fait partie du discours de gens même qui ont des responsabilités quotidiennes et qui savent très bien que ce discours est irréel. Il me semble qu'il faudrait briser une fois pour toutes avec ça. »

– *Vous dites dans vos livres que la technologie moderne – en clair la bombe atomique – place l'humanité tout entière dans une situation jamais connue auparavant, celle d'une impossibilité absolue de la violence sous peine d'anéantissement. Autrement dit, la prophétie biblique de l'Apocalypse est devenue, quotidiennement, probable et interdit désormais la violence. N'est-ce pas un paradoxe? En fait, la violence est partout. Des guerres du tiers monde au terrorisme en Occident...*

– Évidemment, les situations historiques ne sont jamais simples. Je pense que d'une certaine façon ce que j'ai dit là, dès 1973, n'était pas encore tout à fait vrai, mais va le devenir de plus en plus. La violence est déjà interdite, sous peine d'anéantissement, entre les superpuissances; elle le sera dans un proche avenir à des niveaux de plus en plus bas. Il est bien évident qu'elle a tendance à s'échapper, à chercher des débouchés là où c'est encore possible. Des bribes de violence fusent à travers les interstices.

« A mon avis, il serait très important de montrer aux gens qui prêchent aujourd'hui la violence que s'ils peuvent encore le faire, c'est parce qu'il y a au-dessus d'eux une violence plus puissante qui les laisse faire; ce sont des enfants qui comptent sur leurs parents pour ne pas déclencher la catastrophe. Leur violence a un caractère rituel. J'ai l'impression, à en juger par ce qui s'est déjà passé, que la situation d'interdit de la violence va tendre à se diffuser de plus en plus largement, c'est-à-dire à affecter des niveaux de conflit de plus en plus locaux. Par conséquent, ce qui se passe aujourd'hui dans l'esprit des gens qui n'appuient pas sur le bouton nucléaire – Carter, Brejnev, si vous voulez – devra se passer progressivement dans des couches de plus en plus larges de la population mondiale. Des prises de conscience de plus en plus contraignantes vont s'effectuer. Les hommes se trouveront concrètement placés devant un choix absolu, incontournable : apocalypse ou non-violence. »

– *Face à cette situation vous enregistrez l'échec des idéologies, de la philosophie, des sciences de l'homme, et vous nous renvoyez à l'Évangile. Vous faites table rase en somme.*

– Ce n'est pas moi qui renvoie à l'Évangile. Ce qui révèle aujourd'hui la pertinence du texte évangélique, c'est la science elle-même. Je me souviens d'avoir sursauté il y a plusieurs années en lisant le titre d'un éditorial du *Figaro* : « Apocalypse de l'an 1000, apocalypse de l'an 2000. » Ce titre m'avait frappé comme quelque chose d'absolument prodigieux; mais le contenu de l'éditorial cherchait à expliquer qu'il n'y avait aucun rapport entre ces deux choses; il était là pour rassurer en somme. Je ne sais pas si ce texte a joué un rôle considérable dans l'élaboration de ma pensée, mais assurément il a déclenché en moi quelque chose. Je me souviens exactement du moment où je me suis dit : « Comment se fait-il que le titre malgré tout soit tellement plus fort que le contenu de l'article, qui ne cherche qu'à le démentir? »

« Le vocabulaire apocalyptique aujourd'hui est quelque chose d'extraordinaire. Regardez comment les noms des divinités les plus féroces de la mythologie sont donnés aux armes nucléaires. Regardez, aux États-Unis par exemple, le nom des automobiles et leur rapport avec la violence. Notre langage parle à chaque instant de la violence absolue. On nous sert des démystifications qui éludent l'essentiel – la bourgeoisie, etc., – mais il me semble qu'il devient de plus en plus difficile d'éviter le niveau le plus fondamental, qui est celui de la violence. Il suffit de le toucher du doigt pour que tout bascule. C'est peut-être pour cela que les vraies questions ne sont jamais abordées et que le jeu politique apparaît de plus en plus aux gens comme une sorte de rituel vide de sens. »

– *Vous, René Girard, vous vous posez au contraire en sauveur universel, ayant redécouvert, seul, la pertinence « idéologique » et la supériorité absolue de l'Évangile...*

– Pas du tout. Je n'ai absolument pas de recette pour sauver le monde. Ici, je suis obligé de répéter ce que je répète tout le temps : face à la menace nucléaire, il n'y a que la pertinence du texte évangélique. Seul, il tient compte de la violence telle qu'elle est (c'est-à-dire de ses formes de propagation dans le monde) et de ce qui nous menace dans un univers sans protection sacrificielle. Si nous n'agissons pas comme il faut agir pour éviter cette violence, la destruction totale nous menace. Je ne dis rien d'autre, je ne présente pas de remède. Je renvoie à l'Évangile. Il est bien évident que ce que je dis est un rappel qui a un sens religieux, mais je ne prétends pas être moi-même capable d'assumer cette non-violence. Je ne prétends à aucune supériorité. Je dis seulement : ce texte est là, ce texte nous provoque et nous assiège.

« J'ai l'impression de désigner du doigt une évidence tellement inéluctable et tellement forte que personne ne veut parler du vrai sujet. C'est-à-dire que tout le monde se situe aussitôt sur le plan de l'engagement. Mais le texte nous interpelle en tant qu'individus, et tout ce que je peux faire, c'est de dire qu'il en est ainsi. J'aimerais bien qu'on me critique sur l'essentiel, c'est-à-dire sur le rapport que je fais entre le texte de l'Évangile et la présence de la violence absolue sous des formes très concrètes dans notre monde. Ce n'est sans doute pas un hasard si notre culture s'est mise à escamoter le texte apocalyptique après l'avoir rabâché hors contexte pendant des siècles. »

– Appuyé sur votre lecture non sacrificielle du Nouveau Testament, vous dites aux hommes : réconciliez-vous, il y a urgence. Avouez que c'est un peu court. On peut comprendre qu'on vous accuse d'être démobilisateur, de vous évader de l'histoire.

– Je ne dis absolument pas que l'histoire ne me concerne pas. Mais ces mêmes intellectuels qui répètent inlassablement « l'histoire est tout, l'idéologie est essentielle, etc. », parlent en ce moment de faillite générale sur tous ces plans-là. Par conséquent, ils rejoignent le nihilisme actuel, et ils le rejoignent sous sa forme la plus désespérée, puisque tout ce en quoi ils espéraient se révèle impuissant. Tout ce que je dis, c'est, d'une certaine façon : « Ne vous inquiétez pas, cette histoire a un sens, et même ces défaites ont un sens. » On m'accuse de jouer les prophètes, et je ne veux pas le faire.

« Tout ce que je peux faire, c'est de rappeler ce que disent les prophètes : " Vous avez espéré dans l'alliance avec l'Égypte, etc., et tout s'effondre. Mais cet effondrement lui-même est espoir, parce qu'il prouve que l'histoire fonctionne de la façon dont Yaveh vous a prévenus qu'elle fonctionnerait. " A mon avis, ce message n'a jamais été plus actuel qu'aujourd'hui. On dit à la fois aux gens : " Il faut rester le nez collé sur les événements politiques actuels " et " Ces événements n'ont aucun sens, il n'y a plus d'espoir idéologique. " Et on voudrait en même temps que, pour nous, le christianisme, comme la mode ou le choix d'un lieu de vacances, ne soit qu'une vague petite option; on nous met littéralement dans une situation invivable.

« Pour moi, il ne s'agit pas du tout de rassurer, de réconforter, etc.; mais ce qui fait que mes livres portent en ce moment, c'est peut-être que, à tous ces gens qui sont quotidiennement dans cette situation, j'ai cru pouvoir montrer, par mes recherches, que les textes dont on s'était débarrassé en premier lieu étaient ceux qui, justement, tenaient le coup d'une façon prodigieuse. Plus ce en quoi on a mis son espoir s'effondre, plus ils apparaissent comme le roc sur lequel on peut compter. Ce qui m'étonne surtout, c'est de voir certains chrétiens trouver ça épouvantable, mauvais, et d'une certaine façon immoral. Cela montre à quel prodige d'inversion l'intellectuel est parvenu.

« D'ailleurs, je ne me désintéresse pas du tout de l'histoire, ni de la politique, ni du journalisme, ni des événements quotidiens. Mais je crois qu'on ne peut pas complètement priver les gens de recul. La seule chose aujourd'hui qui puisse donner ce recul et cette distance, c'est de dire : quoi qu'il arrive, il y a quelque chose qui est là et qui tient le coup. Il serait très regrettable que j'aie tort. S'il y a une possibilité que j'aie raison, je ne vois pas pourquoi on devrait trouver cela déplorable. Je ne vois pas non plus en quoi c'est démobilisateur sur le plan de ce qu'on appelait jadis les devoirs d'État ou de citoyen. Il me semble, au contraire, que ce qui est démobilisateur, c'est le nihilisme, c'est la faillite actuelle et c'est surtout l'attitude esthétique devant tout cela. »

– *Sincèrement, vous croyez vraiment que le monde sera sauvé par une conversion subite des hommes à la non-violence et à l'amour évangélique? Beaucoup de vos critiques vous reprochent l'insuffisance, j'allais dire évangélique, de votre point d'arrivée.*

– Il ne s'agit pas de cela. Je reste bien en deçà de tout ce que disent ces critiques. Une fois de plus je me contente de rapprocher les textes. Ce n'est pas moi qui dis « réconciliez-vous », ce sont les Évangiles, et c'est la bombe à hydrogène aujourd'hui. Quant à savoir si nous seront sauvés par une conversion individuelle des hommes à la non-violence, je n'ai rien à dire là-dessus, parce que c'est la question à laquelle il est impossible de répondre « oui » ou « non », dans la mesure où c'est la liberté des hommes, la liberté de l'histoire.

« Je pense que l'offre du royaume de Dieu, dans les Évangiles, est toujours une offre honnête et réelle, en ce sens que, plus la violence menace, plus il est facile d'accepter cette offre. L'histoire contemporaine en est la preuve, puisque à un certain niveau – si médiocres que soient les hommes qui nous gouvernent – nous en sommes déjà là. Nous n'avons pas le droit de désespérer, pas plus que nous n'avons le droit de dire : tout va bien, nous pouvons dormir sur nos deux oreilles. Autrement dit, c'est la liberté.

« D'autre part, je dois ajouter que je ne parle, dans mes livres et au sujet du christianisme, que de ce qui est lié à l'intuition sacrificielle. Le domaine de la foi demeure et je n'ai pas à en parler. Je n'ai pas à parler non plus de la prière ni de la messe, et je comprends mal qu'on puisse me reprocher sur ces points mes silences. Je parle seulement de ce rapport entre le christianisme et le sacrifice. Je dis : l'*Évangile* a été mal lu, aujourd'hui il devient possible d'expliciter les déficiences de cette lecture, dans la mesure où la mise en rapport du texte anthropologique et du texte évangélique nous oblige à cette lecture non sacrificielle. Les exégèses passées, tout comme les sciences de l'homme, se sont organisées sur l'échec.

« Mais cet échec aujourd'hui est peut-être au bord du succès le plus incroyable du texte judéo-chrétien, c'est-à-dire quelque chose qui, dans l'ordre du savoir, serait aussi implacable que la bombe à hydrogène dans l'ordre de la technologie. Pourquoi pas? Évidemment, les conséquences sont prodigieuses. Mais l'accusation de décider du sort du monde ou le reproche inverse de ne pas proposer de solution me laissent aussi désemparé l'une que l'autre. C'est le porteur de mauvaises nouvelles qui est sacrifié ou le porteur de bonnes nouvelles qui est exalté! De ce point de vue-là, je ne suis qu'un porteur de nouvelles. »

*— En réaffirmant le caractère fondamentalement différent de l'*Évangile *par rapport à toutes les autres religions, vous posez tout de même le principe d'une espèce de supériorité absolue de l'*Évangile. *Vous voilà en somme réinventant le triomphalisme de l'Occident chrétien : on vous reproche beaucoup cet européocentrisme!*

— C'est une accusation absurde. Ce que je dis au contraire, c'est : personne ne peut parler au nom de l'Écriture judéo-chrétienne. Dans les textes de l'Évangile, ce que Jésus dit aux Pharisiens, c'est : « Lorsque vous pensez parler au nom de ces textes, vous ne voyez pas qu'ils vous condamnent. » Ce que je dis, c'est qu'au fond la même chose s'est produite pour les chrétiens, de façon encore plus paradoxale et saisissante; le retour de la condamnation est encore plus éclatant, puisqu'ils ont participé à des formes de persécution – en particulier l'antisémitisme – qui sont très directement condamnées dans leurs textes sacrés. Donc il y a un triomphalisme du texte, mais du texte seul.

« Ce texte nous accable tous. Je crois qu'il accable toutes les Églises et tous les athéismes, en révélant sa propre puissance. J'ajouterai que l'Occident joue aujourd'hui, par rapport à la planète entière, le rôle que les juifs ont joué par rapport à l'Occident. Les Occidentaux sont donc en train de devenir victimes-émissaires d'une certaine façon. L'Occident est aujourd'hui accablé et se dénonce lui-même comme la pire des sociétés, ce qui me paraît aussi excessif que le triomphalisme occidental conquérant de la fin du XIXe siècle. De la même façon que le judaïsme a trahi le prophétisme, le christianisme sacrificiel trahit les Évangiles. Mais il en est porteur et indirectement il est aussi le créateur de cette civilisation sur laquelle nous ne pouvons pas porter de jugement sommaire. Je crois que la violence anti-occidentale répandue aujourd'hui, y compris en Occident, est le double de cette espèce de foi naïve au progrès qui caractérisait nos pères positivistes. »

– Il n'empêche qu'on peut parfois trouver inquiétante non seulement la place privilégiée – exclusive – que vous accordez au Nouveau Testament, mais aussi la réconciliation absolue que vous constatez entre l'Évangile chrétien et la connaissance scientifique.

– Il est bien évident que ma trajectoire tout entière aboutit à me faire dire : les sciences de l'homme et le message évangélique se rejoignent aujourd'hui. C'est le scandale suprême et il est normal pour les sciences de l'homme et pour toutes les disciplines de s'insurger contre cette affirmation et de soupçonner là une apologétique vulgaire. Mais, là encore, je ne peux que renvoyer à ces rencontres saisissantes entre certaines phrases des Évangiles synoptiques et les mythes du lynchage, c'est-à-dire à l'ensemble de mon texte et à ma thèse du meurtre fondateur.

« Les sciences de l'homme, me dit-on, ont renoncé depuis longtemps à la capacité de tout comprendre. Mais sur quoi est fondé ce renoncement? Sur l'échec des sciences de l'homme. Mais cet échec, dans l'histoire de la pensée, c'est l'espace de quelques années. Je pense que cet échec lui-même est en train d'échouer. On nous dit : il n'y a pas de problématique du religieux en soi. Mais si vous prenez les grandes monographies ethnologiques qui ont été faites depuis Malinovski et qui sont prodigieuses, vous verrez qu'elles ne peuvent se passer des vieux termes religieux, mais qu'elles sont incapables de les définir, tout simplement parce qu'il n'y a pas de définition universellement aceptable de phénomènes qui pourtant se retrouvent un peu partout. »

– A qui la faute? A Lévi-Strauss?

– Ces descriptions sont répétitives non par la faute des ethnologues, mais parce que le vocabulaire n'est pas fixé, parce que nous sommes incapables, lorsque nous nous trouvons devant des phénomènes visiblement semblables, de replacer un certain matériau ethnologique sous une étiquette universellement acceptable. Autrement dit, il n'y a pas de savoir ethnologique. Mais ce savoir devrait pouvoir se constituer un jour, puisque nous avons affaire à des récurrences immaîtrisées, mais certainement pas immaîtrisables.

« Par conséquent, le problème religieux se pose. Il est normal, devant l'échec de la systématisation, de dire : nous avons mal posé le problème, ou peut-être n'existe-t-il pas. Mais, ça aussi, c'est une démarche scientifique, et elle doit faire sa preuve. Autrement dit, le problème devrait réellement s'évanouir. Il suffit de lire la littérature ethnologique pour constater que, au contraire, le problème religieux est toujours là, et qu'il subsiste. »

— Certains de vos critiques les plus virulents confessent l'horreur que leur inspire l'hypothèse d'une réconciliation possible entre la foi et l'intelligence. Pour eux, vous ne seriez au fond qu'un prophète religieux déguisé en scientifique qui, au nom de la science, rameuterait autoritairement le monde autour du Nouveau Testament. *On vous accuse, par exemple, d'éliminer le tragique et toute la problématique de la foi...*

— Ce que je dis n'élimine pas le tragique. Ici, on a affaire à l'opposition entre le vieux fidéisme et la grande tradition occidentale du rapport entre la foi et l'intelligence. Il est bien évident que, loin de proposer quelque chose d'aberrant, je me situe dans la tradition contraire au fidéisme, c'est-à-dire dans l'effort pour réconcilier la foi et l'intelligence. Mais je ne devrais peut-être pas dire cela; en effet, il ne s'agit pas du tout d'un objet, chez moi. Il s'agit d'un aboutissement, ou d'une étape. Devant cette formidable encyclopédie ethnologique qui existe et que j'ai passé de longues années de ma vie à étudier, je constate aujourd'hui qu'elle peut s'inscrire à l'intérieur d'une visée chrétienne.

« Quant à la crainte que l'on puisse enfermer la

religion dans une nouvelle nécessité rationnelle, je crois que c'est lié au dernier avatar d'un certain progressisme religieux qui, devant l'effondrement de la foi, essaie de transformer ceci en positivité en disant : « Au moins, nous n'imposons plus rien à personne. » Par conséquent, ce sont des intentions tout à fait respectables vis-à-vis du texte chrétien. Mais il est tout de même paradoxal que des gens qui ont choisi l'option chrétienne se trouvent décontenancés parce qu'elle se révèle plus contraignante qu'ils ne le pensaient. »

– Le succès subit de votre démarche, en plein désarroi de l'intelligence, vient sans doute de ce qu'elle témoigne d'une chose extraordinaire : une pensée optimiste.

– Aujourd'hui, face à la mort de la philosophie et l'échec des sciences humaines, toutes les formes de christianisme sont en train de reparaître. Il y a un christianisme fidéiste, par exemple, qui s'appuie sur Kant, ou un certain nihilisme moderne pour dire : au fond, la science a échoué à trouver l'absolu. Et je suis bien d'accord. Donc tout est possible, même le christianisme. Mais en même temps je me situe dans une ligne beaucoup plus traditionnelle; je dis : si saint Augustin, les grands scolastiques, saint Thomas d'Aquin, avaient vécu à notre époque avec l'appétit intellectuel prodigieux qu'ils avaient, ils n'auraient pas négligé les savoirs nouveaux, l'anthropologie, l'ethnologie, etc.

« D'autre part, l'histoire leur aurait appris beaucoup de choses sur les possibilités de dégénérescence, de déviation du christianisme, de certaines attitudes qui se croient chrétiennes et qui, en fait, ne le sont pas, et ils seraient peut-être à nouveau aussi ambitieux sur le plan intellectuel et beaucoup plus méfiants sur le plan social et sociologique, mais ils reprendraient le même travail à un autre niveau. Et, sans doute, je m'inscris dans cette ligne. Autrement dit, ma démarche originelle s'est voulue libre de tout subjectivisme, de toute morale ou métaphysique. Je suis parti, au contraire, de la pensée athée, du structuralisme, du freudisme. Je me situe et voudrais me considérer comme l'héritier du freudisme, ou polémiquant avec cette réflexion à la façon dont elle-même polémiquait avec ses prédécesseurs, et avançant vers un but qui me paraît désormais de plus en plus accessible. Autrement dit, il me semble que c'est vraiment la pensée athée – la pensée qui a fait cette surenchère de déshumanisation – qui, d'une certaine façon, retombe sur la Bible. Il ne faut pas perdre ce mouvement, qui est le mouvement du début, et il faut entraîner cette pensée vers son propre au-delà. »

Jean-Claude GUILLEBAUD,
27 mai 1979.

René Girard est né en 1923, à Avignon.
Professeur à l'université de Stanford, en Californie.

Ouvrages

Mensonge romantique et vérité romanesque, Grasset, 1961.
Dostoïevski : du double à l'unité, Plon, 1963.
La Violence et le Sacré, Grasset, 1972.
Critique dans un souterrain, L'Age d'Homme, 1976.
Des choses cachées depuis la fondation du monde, Grasset, 1978.
Le Bouc émissaire, Grasset, 1982.

---

1. L'essentiel des développements de René Girard sur le *Nouveau Testament* était exprimé dans le n° 11 de la revue *Esprit,* en novembre 1973.

André Glucksmann

« J'appelle moderne le monde où les
guerres de religion, les camps de
concentration, les pouvoirs de destruction massifs entreprennent de
fonder un ordre. »

*Philosophe et militant, André Glucksmann ne
désarme pas dans le combat qu'il mène pour les droits
de l'homme. Pour lui la réflexion philosophique est
inséparable des luttes contemporaines. Et au centre de
cette méditation on retrouve la théorie de la guerre et
de l'oppression.*

– *Philosophe politique, vous avez écrit sur la guerre, sur la violence et sur le pouvoir d'État. L'an dernier, vous avez écrit une préface nouvelle à votre* Discours de la guerre. *Plus que jamais, cette question est à l'ordre du jour.*

– Se dire philosophe est déjà très problématique. Le terme de philosophe est l'emblème d'une hésitation. A l'origine – grecque – le philosophe, c'est celui qui affirme : je ne suis pas sage.

– *C'est aussi celui qui recherche la sagesse.*

– On me dit que je recherche la sagesse. Ce sont les autres – en l'occurrence l'oracle de Delphes – qui disent à Socrate qu'il est le plus sage des hommes. Ce n'est alors ni l'agrégation ni les jurys littéraires. En France, le philosophe se rapproche de l'essayiste. Notre siècle des philosophes, celui de Voltaire, de Diderot, de Rousseau, n'a rien à voir avec la philosophie telle que la canonise l'Université allemande.

– *Vous vous confrontez avec des événements difficiles, des événements qui laissent interdits : la guerre du Vietnam, l'existence de la coexistence pacifique, le schisme des mouvements russes et chinois...*

– Quand j'ai écrit le *Discours de la guerre*, l'opinion dominante pensait que la coexistence était une chose raisonnable. Cela impliquait que les Vietnamiens devaient raisonnablement penser qu'ils étaient les plus faibles. On disait aussi que la Chine était folle de se priver du parapluie nucléaire soviétique. La guerre du Vietnam apparaissait comme une aporie, une impossibilité logique. Comment les Américains pouvaient-ils donc être battus?

– *Pour penser la guerre, vous relisiez Clausewitz, Hegel, et vous repassiez par l'analyse des guerres populaires.*

– Tous, de *L'Humanité* au *Figaro*, disaient : la guerre, c'est l'affaire des grandes puissances. Or, si l'on réfléchit sur l'histoire de l'Europe, on voit que les rapports de forces ne relèvent pas de ce seul jeu-là...

– *Vous pensez aux guérillas, mais bien peu furent victorieuses.*
– La guérilla espagnole a résisté victorieusement à Napoléon, les paysans russes aussi... Clausewitz réfléchit sur la puissance de la guerre populaire en face de la capacité technique d'une armée impériale. L'armée de Napoléon, par rapport au peuple espagnol, c'est un peu celle du Pentagone par rapport à celle de Hanoi. Et relire les penseurs prussiens, c'est se rendre compte qu'ils ont vu dans la guérilla une forme de guerre supérieure; le jeu est changé quand un peuple lutte sur son propre territoire, à partir de ses propres contradictions. Le premier édit de guerre populaire, c'est l'édit du roi de Prusse en 1811.

– *La Révolution française avait, elle aussi, effectué la levée en masse.*
– Oui, mais Hoche et Carnot ne luttent pas dans un pays essentiellement envahi; ils se battent contre des armées retardataires sur le plan technique.

– *Pourquoi donc l'Europe aurait-elle oublié ces guerres populaires?*
– Cet oubli-là est philosophique. L'Europe des années soixante rêvait d'expansion, de paix industrielle, d'ordre impérial mondial. Ce rêve-là, on pouvait le comprendre à travers la pensée de Hegel. Hegel, qui était révolutionnaire dans sa jeunesse, a voulu ensuite un ordre moderne et libéral. Et c'est par modernisme qu'il a collaboré avec Napoléon. Il ne collabore pas du tout par lâcheté, mais par raison. Napoléon liquidait le féodalisme, il incarnait le rôle progressiste de la raison moderne. C'est cela que raconte *La Phénoménologie de l'esprit*. Aujourd'hui, toutes choses égales par ailleurs, l'arme atomique joue le rôle de la Grande Armée. Elle est capable d'annihiler. Au Vietnam, les Américains menaçaient de ramener le pays à l'âge de la pierre,

mais cela se disait au nom du décollage économique et de la modernisation du pays.

– *Les Vietnamiens gagnent donc contre la puissance américaine. Mais une fois la victoire acquise ils reconstituent un État qui n'est pas tendre du tout. N'y a-t-il pas là une étrange victoire de l'étatisme hégélien?*

– Si un État s'est reconstitué, l'ordre du monde, lui, ne s'est pas refait. La guerre sino-vietnamienne, le conflit soviéto-chinois, les événements contemporains, tout cela ne fait pas un ordre. On assiste, en ce moment, à une généralisation du discours de la guerre. Le terrorisme de la mitraillette, des États ou de la Kalatchnikov est toujours armé de la même philosophie. Elle peut là penser en termes de technicisme pentagonien, là en termes de marxisme vietnamien, là en termes plus terroristes, tout cela au fond ne change pas grand-chose. D'ailleurs, le terrorisme d'État était – comme je ne le voyais pas – déjà présent pendant la lutte du peuple vietnamien.

– *Certains chefs d'État sont d'anciens terroristes, et bien des peuples sont terrorisés par leurs États.*

– Les émancipations, par exemple celle des femmes pendant les guerres de libération, s'effectuent toujours au nom de la guerre, de la mobilisation. Je crois que le rapport à la violence est encore plus premier que le rapport à l'État.

– *Dans* La Cuisinière et le mangeur d'hommes, *vous insistez sur la résistance au goulag, sur l'insoumission des petits qui résistent là où on ne s'y attend pas. Vous avancez que la plèbe voit juste. Qu'est-ce que la plèbe?*

– Il ne s'agit pas du tout de faire de la plèbe un nouveau sujet porteur de l'histoire. Foucault dit justement qu'il n'y a pas « la plèbe », mais « de la plèbe ». Ce qui m'importe, c'est que ça résiste toujours ailleurs qu'à l'endroit attendu. On a assisté à des complicités intellectuelles fantastiques avec le goulag; et les résistances ont été le fait des gens les plus démunis intellectuellement.

« On évite tout cela quand on dit comme Kautsky, Ellenstein, Attali ou les Américains libéraux : le goulag est dû à l'atavisme russe. Je pense au contraire que le goulag renvoie à la modernisation de la Russie, à son occidentalisation. En fait, Lénine marche dans les traces de Pierre le Grand. »

— L'URSS a inventé une nouvelle formation économico-sociale avec des traits tout à fait particuliers. Cela ne renvoie pas seulement à Ivan le Terrible et à Pierre le Grand, mais aussi à la militarisation des syndicats, à la suppression des libertés civiles...

— Pourtant la construction de Saint-Pétersbourg est tout aussi importante et étonnante que le « marxisme » de Staline. Et ce discours-là a beaucoup à voir avec le discours du bureaucrate moyen d'avant 1914. Si l'on relit les historiens du XIXe siècle, on est tout à fait étonné de voir la description du culte de la personnalité par Lassalle.

— On vous a accusé de faire un rapport entre les textes de Marx et ce qui se passe en URSS. Vous aviez pourtant pris soin d'indiquer que Marx est aussi celui qui sait lire les rapports d'enquêtes sur le travail des enfants.

— Je n'ai jamais dit que les idées menaient le monde, mais j'ai toujours insisté sur le fait que la cause du goulag, c'est fondamentalement le fait que les gens n'y résistent pas. Si vous ne vous révoltez pas quand l'on arrête votre voisin, vous êtes déjà pris dans ce mécanisme-là. L'Allemagne aussi, au moment de la montée du fascisme, a manqué de ce que Soljenitsyne appelle la conscience civique.

« Et si l'on regarde la France d'aujourd'hui, il n'est pas très difficile de trouver des exemples où cette conscience-là manque. Les policiers s'arrogent le droit de tuer Mesrine sans procès et personne – ou presque –

ne proteste. Regardez aussi les expulsions de Piperno, de Pace, l'internement de François Pain. Et qui a vraiment protesté contre les lois scandaleuses qui expulsent les travailleurs immigrés? Ceux qui ont résisté l'ont fait en tant que consciences individuelles en faisant appel à de vieilles notions comme celles de " France, terre d'asile ". Le président Poher a eu là une attitude tout à fait remarquable. En fait, ne pas réagir, c'est toujours avoir une philosophie implicite. Celle de la résignation. »

– *Les maîtres penseurs Fichte, Hegel, Marx, Nietzsche – ce carré d'as – diraient, selon vous, le scénario de la modernité, les silences complices. Mais, l'histoire réelle, contingente, n'est-elle pas un peu absente de ce scénario?*

– On n'a pas à choisir entre une histoire sans idées et des idées sans histoires. Les maîtres penseurs pensent à partir de la Révolution française. A ce moment, l'Allemagne doit inventer sa révolution ou quelque chose qui la remplace. Au XXᵉ siècle, ce problème-là devient un problème mondial. Pourtant il n'y a pas d'influence directe de ces penseurs, et il serait absurde d'imaginer une influence de Hegel sur Fidel Castro, de Marx sur Régis Debray ou de Dieu sur Bernard-Henry Lévy. S'il n'y a pas d'influence, il y a des attitudes communes, qui tiennent au génie ou à l'absence de génie propre à chacun de ces personnages. La pensée ne fonctionne pas dans un cerveau, mais dans des réseaux. D'ailleurs, les maîtres penseurs ne cessent de se réfuter et de reprendre un projet analogue, mais non identique.

– *Je ne vois pas de filiation entre ces quatre grands et le* XXᵉ *siècle.*

– Il n'y a pas de filiation, mais ils disent le terreau commun de la philosophie implicite. Car quand quelqu'un part en Colombie faire la révolution, ou quand il va mettre les Batignolles en ébullition, on peut voir une philosophie implicite au travail. Ce qui m'intéresse, c'est de penser ces effets-là dans le monde moderne. Et j'appelle moderne le monde où les guerres de religion, les camps de concentration, les pouvoirs de destruction massifs entreprennent de fonder un ordre.

— Il est étrange, tout de même, de voir Nietzsche en compagnie de vos maîtres penseurs. Le philosophe qui veut dynamiter la puissance de la vérité ne s'interdit-il pas, par là même, de fonder un ordre du pouvoir? Il dit d'ailleurs : « Qui veut le pouvoir est esclave! »

— Il parle aussi de volonté de puissance... Mais, en fait ce qui se passe chez Fichte, chez Hegel, chez Marx se passe à l'intérieur de Nietzsche. Il porte, lui, tous les masques. En fait, il pense les grandes guerres philosophiques du monde moderne, celles de la culture et de l'économie. Il accomplit la pensée implicite des autres, tout en la distanciant et en le disant.

— Mais il n'y a pas de politique nietzschéenne.

— Oui, il n'y a pas non plus de politique marxiste ou hégélienne. Vous trouverez toujours des hégéliens de gauche, de droite. Quant aux marxismes, il y en a tellement qu'ils se contredisent. Et puis, dans la mesure où Nietzsche se déprend de la vérité, il dit là le pouvoir moderne. Mao est nietzschéen quand il crée le désordre de la révolution culturelle, quand il se retire et réapparaît avec un pouvoir qui n'est pas celui d'une armée. Ce pouvoir-là, c'est le pouvoir des pots de peinture. Au comble de l'anarchie, Mao fonde l'ordre. Je vois dans le dynamitage de toutes les références, de toutes les valeurs ancestrales, l'arme des pouvoirs modernes. Quand les gens n'ont plus de racines, ils sont terrorisés et quand ils sont terrorisés, ils adhèrent à la religion de la guerre.

— En janvier 1979, vous avez activement participé au bateau pour le Vietnam. Vous avez, ensuite, avec Sartre et Aron, défendu la cause des « boat people ».

— Les « boat people » fuyaient les communistes vietnamiens et ils étaient noyés par des régimes anticommunistes. Ils étaient abandonnés par les puissances qui auraient dû leur venir en aide, par ces puissances qui sont scandalisées quand cinquante otages sont faits prisonniers dans une ambassade. En tant qu'enfant juif, échappé miraculeusement au massacre, je n'ai jamais eu une croyance aveugle dans le discours des grandes puissances. Et puis, j'ai appris à lire dans les journaux qui parlaient déjà de la guerre d'Indochine. Bien sûr, j'ai lutté contre la guerre du Vietnam, j'ai crié aussi : « Vive Hô Chi Minh. » Mais, si à ce moment-là, l'on trouvait des bateaux pour venir en aide au Vietnam, je ne vois pas pourquoi l'on n'en trouverait pas pour venir en aide aux Vietnamiens d'aujourd'hui.

— *Cette défense, avec Sartre et Aron, de la cause des « boat people », n'était-ce pas un appel de maîtres penseurs : voilà ma solution, inclinez-vous?*

— Pas du tout. Des gens sont sur les eaux internationales, et se noient, il s'agit de les repêcher. Ce n'était pas idéologique mais opérationnel, et ponctuel. Ce n'était pas « la » solution mondiale aux maux de l'humanité, mais une action précise pour quelques vies. L'étonnant, c'est que ça n'aille pas de soi. La paralysie universelle est moins due aux difficultés techniques, surmontables on l'a montré, qu'à ce qui pèse dans nos crânes? Une prise de position d'intellectuels vaut par le blocage mental qu'elle lève. La gauche dévote ne voulait pas perdre sa seule victoire : la « révolution » vietnamienne, et imaginait les « boat people » comme des Coblençards tout couverts d'or. La droite, pour avoir martelé pendant un siècle : la France-aux-Français, n'allait pas exiger cinquante mille visas de plus pour ces Jaunes. Entreprise privée, financée par quelques milliers de petits chèques individuels, *L'Ile-de-Lumière* et ses médecins ont sauvé quelques milliers de noyés en puissance et en ont soigné des dizaines de mille. Reste que les gouvernements occidentaux ont pensé résoudre la question autrement en demandant aux communistes vietnamiens de retenir les réfugiés en édifiant un nouveau mur de la honte.

– Ce blocage mental, n'est-ce pas un héritage de la guerre froide? En quelque sorte Sartre et Aron oublient leurs querelles de la Libération...

– Ah, si la vérité allait d'aussi bon pas! On ne distinguerait plus les morts respectables et les autres, ceux qu'on enregistre et ceux dont on se fout. Malheureusement les mauvais comptes font les bons ennemis, bien avant Sartre et Aron et bien après eux. Paris se peuple aujourd'hui d'anciens jeunes gens jurant qu'on ne les y reprendra plus et proférant, un peu fats : « C'est la faute à Sartre. » Étrange pouvoir accordé à un seul homme. Entre 1975 et 1979, chacun y est allé de quelque ouvrage, celui-là d'un article à la semaine dans un grand hebdomadaire, tel autre fréquentant chez Mitterrand, tel autre en face, tel passant allègrement des grands d'un jour à ceux du jour suivant. Qu'importe, nul ne peut affirmer avoir manqué de quoi crier, fût-ce dans un courrier de lecteurs.

« Pendant ce temps combien de millions de Cambodgiens égorgés à l'arme blanche ou achevés à coups de bâton? Et on savait, Ponchaud en témoigna immédiatement. Où sont les protestations, les pétitions, les libelles, les grèves de la faim, les défilés? Ce bœuf sur notre langue, ces boutons entre nos doigts, était-ce Sartre? Trop tard pour se faire une vertu sur son dos : Buchenwald est passé, Staline passe encore, mais le Cambodge fut accompli avec tous les plus de vingt ans. Avec mon silence complice, avec le vôtre, et celui des intellectuels, des politiques, des syndicats, des États unanimes et des organisations internationales. Si c'était la faute d'un homme seul et d'un livre, on comprendrait qu'un autre vienne faire don de sa personne et de son texte... mais personne n'est né de la dernière pluie et on n'accuse ainsi que pour s'excuser. »

– Vous parlez du droit d'intervention dans les affaires intérieures des autres pays.

– Deux grandes idées régulatrices ont pendant longtemps dominé la pensée politique : le droit des peuples à disposer d'eux-mêmes et, à côté, l'acceptation réaliste du droit des empires à régner dans leur zone d'influence. Actuellement, nous assistons à la ruine de ces deux idées. Il faut absolument développer le droit d'intervention des civils dans les affaires des gouvernements des autres pays. Car lorsqu'un gouvernement liquide un tiers de sa population, il ne peut le faire qu'avec la complicité des autres. Pensez à la Guinée équatoriale ou au Cambodge. L'équilibre des empires, cela produit le Biafra. Il s'agit de développer un droit d'intervention médical, informatif, alimentaire. Il est décisif d'intervenir dans les affaires du voisin. Si l'on ne le fait pas, c'est Auschwitz au Cambodge et au Biafra.

– *Chomsky, qui dénonce les massacres de Timor, dit aussi que les questions humanitaires sont secondaires en ce qui concerne l'Asie du Sud-Est.*

– Il est scandaleux de compenser un massacre par un autre: c'est un raisonnement de guerre froide. Je suis au côté de Chomsky en ce qui concerne Timor, mais avoir l'air de mépriser les questions humanitaires, c'est oublier que le mouvement de la jeunesse américaine – qui a tout de même arrêté la plus puissante machine de guerre jamais produite – a été un mouvement humanitaire. Plus que les grands concepts théoriques sur l'impérialisme, ce sont les bébés sous le napalm qui ont révulsé les gens. Et là, Joan Baez ou Bob Dylan ont joué un plus grand rôle que Chomsky. Et Joan Baez continue de penser – à la différence de Jane Fonda – aux bébés vietnamiens; et que ceux-ci meurent sous une bombe au napalm ou se meurent de faim dans la jungle thaïlandaise ne fait pas une grande différence. Si Chomsky n'a rien à reprocher aux Khmers rouges ou aux Vietnamiens, que pourra-t-il reprocher à Pinochet?

« Souvent, les intellectuels américains pèchent par américano-centrisme. Kissinger et Chomsky, l'un à droite, l'autre à gauche, pensent en fait de la même façon. Kissinger ne pensait pas au Cambodge quand il entreprenait de le faire bombarder. Il ne pensait qu'à Washington, qu'à Moscou, qu'à sa position de superministre des Affaires étrangères. Pour Chomsky, le Cambodge n'entre pas vraiment en ligne de compte. Comme il veut détruire le centre de l'impérialisme, il ne veut surtout pas apporter de l'eau au moulin de l'adversaire. »

– *Dans ses* Mémoires, *Kissinger dit la logique d'un discours de la guerre qui serait modèle de gestion.*

– Dans cette perspective-là, le Cambodge n'existe pas à titre de peuple, mais, en plus, il n'existe même pas comme territoire; Kissinger ne pense que par grandes masses, par empires. Son grand coup, c'est de jouer la Chine contre la Russie, etc. Certes, il est plus subtil que les stratèges nucléaires, qui ne comptent que jusqu'à deux; il compte, lui, jusqu'à trois.

« Et sans cesse, les Vietnamiens, les Iraniens dérangent ces réglages-là. Je suis tout de même tout à fait étonné que dans ses *Mémoires* il ne s'interroge pas sur le génocide cambodgien, sur le rôle qu'il a pu y jouer. Imaginez un homme d'État écrivant entre 1930 et 1945 et qui ne mentionne même pas l'extermination des Juifs... »

Christian DESCAMPS,
30 mars 1980.

André Glucksmann est né en 1937.
Chargé de recherches au CNRS

Ouvrages

Le Discours de la guerre, L'Herne, 1967; rééd. 10/18, 1974.
1968 : stratégie et révolution en France, Bourgois, 1968.
La Cuisinière et le mangeur d'hommes, Seuil, 1975.
Les Maîtres penseurs, Grasset, 1977.
Le Discours de la guerre, précédé de *Europe 2004,* Grasset, 1979.
Cynisme et passion, Grasset, 1981.
La Force du vertige, Grasset, 1983.

Vladimir Jankélévitch

> « C'est quand il est injustifié que
> l'émerveillement est le plus philoso-
> phique. »

*Vladimir Jankélévitch, professeur honoraire à la
Sorbonne, se consacre aujourd'hui entièrement à son
œuvre, après avoir formé d'innombrables générations
d'étudiants. Il est l'auteur de très nombreux livres
consacrés aussi bien à des questions de métaphysique
qu'à des problèmes de morale, ou à ses musiciens
préférés, Fauré ou Debussy. Son activité inlassable
s'est étendue aux domaines les plus divers, même à la
vie politique – dans laquelle il n'a pas craint de
s'engager chaque fois qu'il l'a cru nécessaire. Si la
vitalité de Vladimir Jankélévitch est inépuisable, sa
capacité d'émerveillement ne l'est pas moins...*

– Vous avez souvent dit qu'à la source de la réflexion philosophique se trouvaient l'étonnement et l'émerveillement. Pourriez-vous nous dire ce qui vous émerveille encore aujourd'hui?

– Il n'y a pas lieu de demander à quelqu'un : quelles sont les choses qui vous émerveillent. On ne s'émerveille pas parce qu'il y a des choses merveilleuses. La capacité de s'émerveiller est une capacité que chacun a en soi et qui naît de rien, n'importe où, n'importe quand. On s'émerveille de la banalité, du jour qui se lève, du soleil qui se couche, de la couleur du ciel, et c'est quand il est injustifié que l'émerveillement est le plus miraculeux, le plus philosophique.

– Pourtant les sujets d'épouvante et d'ennui sont si nombreux... Comment peut-on encore trouver la force, ou la simplicité, de s'étonner et de s'émerveiller?

– Les sujets d'émerveillement ne viennent pas en déduction des sujets d'ennui, ni par soustraction. Aucun bilan à établir; une arithmétique de l'agrément et du désagrément serait absurde; on peut être émerveillé même si le passif l'emporte. L'ordre de la qualité exclut toute pesée.

– L'époque est assez morose, quand même...

– Cela ne veut rien dire. On ose à peine se l'avouer, mais il y avait un merveilleux printemps l'année de la défaite; quand les blindés des brutes escadronnaient sur nos routes, nous étions inexplicablement tentés d'écouter les conseils de ce doux printemps. Rassurez-vous, nous n'avons pas écouté! Nous étions remplis d'angoisse, penchés sur cet abîme où notre pays était tombé, et cependant nous pouvions nous laisser aller à cette apparence de bonheur, comme s'il ne se passait rien, comme si la France n'était pas piétinée par l'ennemi. Amère dérision! L'homme s'émerveille en pleine tragédie, et malgré ce qui, objectivement, le désespère.

« La morosité de nos contemporains s'explique par les difficultés de l'époque, les soucis matériels, les problèmes économiques et sociaux. Mais l'humoresque

intérieure, comme disaient les romantiques, est indé-
pendante des conditions objectives de la vie : elle est le
caprice même; même au fond du malheur extrême et
de la honte, la gracieuse arabesque, la fantasque, laisse
émerger le sourire de l'émerveillement. »

   — *En est-il de même pour l'humour?*
   — Oui. Impalpable et impondérable, l'humour vient
lui aussi par hasard, et n'a jamais connu de loi. Il ne
peut être ni manié, ni dosé, ni programmé pour tel ou
tel moment de la journée. L'ironie, elle, est palpable et
assignable. Elle a un caractère pédagogique très accusé
et une thèse à défendre : elle la défend à l'envers, en
faisant semblant d'épouser la thèse contraire. L'ironiste
joue à être le contraire de soi pour nous conduire plus
sûrement vers la vérité. Mais cette feinte est une ruse
édifiante, une stratégie. L'humour, lui, n'a pas de
stratégie. Il est un chemineau, un vagabond qui restera
éternellement en état de vagabondage; il n'a pas de
propriété à faire valoir ni de royaume à restaurer.
L'humour ne fait pas semblant d'accomplir des détours
pour mieux atteindre le but : il va sans but, il erre sans
but sur la terre comme le pauvre exilé.

   — *Votre portrait de l'humour ressemble à celui de
l'amour que Platon dresse dans* Le Banquet. *Quels
sont les rapports entre l'humour et l'amour?*
   — A première vue, il semblerait que l'humour ne soit
guère en harmonie avec le côté passionnel de l'amour.
En ce sens, l'amour pourrait ne pas aimer l'humour. En
tout cas, l'amour déteste l'ironie. L'ironie, dans la
mesure où elle est tactique, où elle considère l'autre
comme un sot et se pose comme son professeur, n'est
pas accordée au diapason de l'amour, lequel fonce tête
baissée vers l'objet de sa passion et le prend non
seulement au sérieux, mais même au tragique. Pour
l'humour, c'est différent, puisqu'il n'a pas de thèse, ne
plaide pas, ne pontifie jamais, va toujours au-delà.
L'humour est éternellement en route.

– *L'amour préfère donc l'humour...*

– L'amour ne préfère rien, n'aime pas ceci ou cela, ne trie pas les qualités de l'être aimé, n'aime pas telle personne parce qu'elle a de beaux yeux ou des facilités oratoires. Si j'avoue aimer quelqu'un parce qu'il humorise, si c'est l'humour que j'aime en lui, alors mon amour est aussitôt suspect. Qui voudrait être aimé de cette façon-là? On n'aime jamais « parce que ».

« Triste amour que celui dont l'humour est la cause! Eh bien! dans ce cas, aimez Alphonse Allais! Il en fabrique, lui, de l'humour, et même il se force un peu, puisqu'il fait partie des professionnels. Est-il rien de plus factice et de plus ridicule que le " métier " d'humoriste? Ceux qui, professionnellement, " font " de l'humour, et doivent obligatoirement trouver l'aspect amusant de chaque conjoncture, ceux qui humorisent à heure fixe et sur commande, ceux-là nous font bien de la peine et, en tout cas, ne nous font pas rire! Le grain de sel quotidien est leur gagne-pain. Il y a plutôt de quoi pleurer. »

– *Qui vous fait rire?*

– De Flers et Caillavet et quelquefois Feydeau. De Flers et Caillavet, je trouve cela génial! c'est la fine fleur de l'esprit parisien. Cela pétille et scintille. Vous connaissez *Le Roi?* Quelle verve! Quelle intelligence! Et *L'Habit vert?*

– *Non...*

– Alors vous ne connaissez rien! J'aime également Feydeau, le mouvement de ses pièces, les tourbillons de l'absurde, et ces moments de « divin délire » qui parfois s'emparent des personnages, du public, et de Feydeau lui-même.

– *L'humour est aussi cette émergence de l'esprit qui, même dans les situations les plus tragiques, sauve l'homme. Boukovski parle souvent de cette arme que représente l'humour pour les prisonniers des camps.*

– Certainement, mais dès que l'humour devient une arme dans un arsenal, il tend à se confondre avec l'ironie. Seulement l'ironie est l'arme des forts, alors que l'humour est la seule arme des faibles. Chez les humiliés et les offensés, l'humilité humoristique permet de surmonter l'humiliation. C'est souvent ainsi qu'on explique l'humour juif. L'humour a été pour les juifs un moyen de déjouer les persécuteurs et les pogromistes. Il est la force des faibles, l'arme des désarmés; il est leur seule revanche. Une revanche sans triomphe; car l'humoriste se moque aussi de lui-même; il n'oppose pas une force à la force triomphale des rugissants : il implique le doute et la précarité.

– *Que pensez-vous par exemple de ce que Freud a écrit sur l'humour?*
– Je me demande si le « Witz », le mot d'esprit, est vraiment de l'humour. Toujours est-il que les explications systématiques reposant sur la psychopathologie, ne semblent guère répondre au problème philosophique de l'humour.

– *Votre réponse confirme les distances que vous avez toujours prises vis-à-vis de la psychanalyse. Or vous êtes le fils du traducteur de Freud...*
– Et après? Je ne suis ni pour ni contre. Mon père était médecin, il a correspondu avec Freud, il a été le premier à traduire l'*Introduction à la psychanalyse* et une dizaine d'autres ouvrages; il avait quelque chose à apporter. Mais moi, je n'ai rien à ajouter. Rien ne m'oblige à faire la même chose que mon père. L'intérêt pour la psychanalyse n'est pas héréditaire.

– *Mais en tant que philosophe, comment avez-vous pu ne pas rencontrer la psychanalyse? C'est rare!*
– Je ne la rencontre pas sur ma route, pas plus que je ne l'évite. Je ne vois pas pourquoi je devrais ajouter mon grain de sel au torrent de paroles que l'œuvre de Freud a suscitées depuis plus de trente ans. Chacun fait ce qu'il peut faire de mieux ici-bas. L'idée qu'on aurait

pu faire mieux en faisant autre chose est un jugement rétrospectif, une trompeuse illusion. Cela dit, Freud est un grand créateur. Il est impossible de faire comme si la psycho-analyse n'avait pas existé.

— Ce qui est frappant, c'est que vous êtes l'un des rares philosophes contemporains à être passés, sans les toucher, « entre » Freud et Marx.

— Parce qu'il y a eu ces deux géants de la modernité, suis-je obligé d'en passer par eux? Tout ce que je dis ou fais doit-il être braqué sur leur œuvre? On peut aussi ne tenir compte de personne et essayer de penser par soi-même. Je réclame ce droit. Est-ce présomptueux? J'ai essayé de donner le goût de cette indépendance aux étudiants. Le problème de la mort exige une telle indépendance. A quoi bon les références et les citations? La mort est le problème de tous et de chacun, et chacun a en lui-même les ressources suffisantes pour penser tout ce qui est pensable de la mort. Chacun a le droit de dire : le problème de la mort est mon problème personnel, surtout quand, l'espérance de vie se restreignant, on est obligé de comptabiliser l'avenir et de mesurer le temps qui nous reste à vivre.

« Vous ne me ferez pas croire que vous n'avez aucune opinion sur ces problèmes et qu'il vous faut nécessairement citer Hegel et Kant. Je disais aux étudiants : perdez l'habitude de répondre toujours : " Nietzsche dit que... ", " Hegel pense que... " Et vous, que pensez-vous? Pensez-vous quelque chose? Laissez ces manies et ces tics. »

— L'enseignement a joué un grand rôle dans votre vie et vous avez été un professeur heureux. Mais s'il vous fallait aujourd'hui revenir sur le lycée, comment vous y prendriez-vous? Feriez-vous les mêmes cours qu'autrefois?

— Je suis essentiellement un professeur de lycée, et je n'ai jamais cessé de l'être, même dans l'enseignement supérieur. Mes cours sont faits pour le secondaire. Je ne suis pas du tout doué pour l'érudition ni pour la philosophie « scientifique »; je n'ai pas de spécialité déterminée. Je fais de la philosophie générale, comme les médecins généralistes font de la médecine générale; je suis outillé pour développer une leçon sur un grand thème philosophique.

« Quand j'étais à l'École normale, nous nous entraînions, mes camarades et moi, à traiter ce qu'on appelait des sujets de " leçon ". C'est une forme de rhétorique, sans doute. Alain, qu'on ne lit plus, appelait cela les " propos "; seulement, les propos d'Alain sont décousus : ce sont des exercices plus ou moins artificiels, mais ils peuvent être les matériaux d'une philosophie aphoristique. »

– *Et les élèves, ils aimaient cela?*

– Le Français adore la discussion. 1968 fut un raz de marée de paroles. Les Français ont prononcé alors toutes les paroles imprononcées qu'ils tenaient enfermées dans la cage de leur for intérieur. Le Français parle volontiers et beaucoup, conteste avec acharnement, s'éloigne, bat la campagne; pourtant, on ne peut pas dire qu'il ne soit pas doué pour ce jeu irritant. D'esprit spéculatif et dialectique, parfois subtil, il se prête toujours avec plaisir à cette sorte d'exercice.

– *En tout cas, votre philosophie a connu ces derniers temps un regain d'attention. On assiste en ce moment à une sorte de retour vers la morale : est-ce que vous ne rencontrez pas ici votre époque, vous qui avez toujours été un moraliste?*

– Entendons-nous : tout le monde aujourd'hui parle de morale; tout le monde parle à la fois. C'est un vacarme assourdissant. Goulag, droits de l'homme, droits de l'homme... En effet, on les avait bien oubliés, ceux-là... N'annoncez donc pas à vos élèves : « L'heure des valeurs spirituelles est revenue. » En effet, elles sont peut-être revenues, les valeurs spirituelles. Mais il ne faut pas trop l'annoncer. On ne sait jamais. Aujourd'hui personne ne veut être en reste avec elles. Il n'y a que ce pauvre Bergson qui reste en pénitence.

Mais ne confondons pas valeurs et reprise en main. Reprise en main des universités, par exemple, comme en témoigne le nouveau statut des professeurs. Voulez-vous restaurer ces valeurs ou, plus simplement, récupérer une jeunesse qui vous échappe? Abordez directement les problèmes avec eux, sans vous occuper de la mode du jour : « Je continue ma tâche; ce que je disais hier, ce que j'ai toujours dit, je le dis encore maintenant. » Depuis 1968, je n'ai pas changé de discours; personne ne peut m'accuser de vouloir faire servir ma morale à la rénovation spirituelle de la France...

— *Il n'y a pas que la France. Il y a le problème des droits de l'homme, qui se pose à l'univers entier.*

— Cette question des droits de l'homme n'est qu'une façon récente de poser un très vieux problème, le maître problème de la morale, mais c'est une façon suspecte de le poser.

« Le problème moral, ce n'est pas les " droits de l'homme ", ce sont les droits " des autres ".

« Moi, je n'ai pas de droits, je n'ai que des devoirs, et je n'ai de droits que parce que vous avez des devoirs envers moi. En somme, je ne participe que par raccroc aux droits de l'homme en tant qu'homme, parce qu'il se trouve que vous et moi avons exactement les mêmes devoirs. Donc, les hommes ont d'abord des devoirs, et seuls les droits des autres importent...

« Encore ne faut-il pas que nous en prenions expressément conscience, car je compterais alors sur vos devoirs pour revendiquer mes droits; ce qui est une fort ingénieuse hypocrisie. Et puis il ne faut pas parler des droits de telle ou telle catégorie restreinte, mais des droits de l'homme en tant qu'homme, bien que cette dernière expression soit assez paradoxale. On conçoit, en effet que l'assuré social, l'usager du métro ou l'abonné des téléphones aient, en tant que tels, droit à ceci ou à cela. Mais comment puis-je avoir des droits " en tant qu'homme "? " Homme " contredit " en tant que "; " en tant que " introduit une restriction circonstancielle. Or le droit moral exclut toute restriction.

Dire l' " homme en tant que ", c'est donc répéter l' " homme " deux fois.

« Il n'en reste pas moins, bien sûr, que cet homme a des droits! Et il est même étrange d'avoir à le dire, d'avoir à les énumérer, tant ces droits devraient aller d'eux-mêmes. Le droit à l'existence est-il même un droit? Ce serait plutôt une évidence aveuglante. Et il en va identiquement du droit à l'expression : je ne dois aucune reconnaissance à celui qui reconnaît mon droit à l'expression et à l'existence, c'est simplement la moindre des choses! »

– *Pourtant, rien ne va de soi : à Pierre Goldman, par exemple, on n'a pas reconnu le droit à l'existence...*

– Goldman, lui, a certainement été assassiné « en tant que » : parce que ce genre de meurtre vise toujours, derrière l'homme, la catégorie sociale à laquelle il appartient, et, en le tuant, on tuait beaucoup de choses en lui – le non-conformiste, le juif, l'étranger, le marginal, toujours les mêmes catégories maudites... Point n'est besoin de se demander qui a fait cela; les auteurs de ce crime, ce sont nos ennemis de toujours. On se demande seulement qui sera la prochaine victime... D'ailleurs la jeunesse ne s'y est pas trompée. Son silence, sa dignité durant les obsèques, l'accablement qui régnait sur cette foule immense, prouvent bien qu'elle avait conscience de participer à autre chose qu'à une manifestation ordinaire.

– *Curieuse, cette concomitance entre l'assassinat de Goldman et la réactivation du débat sur l'antisémitisme. On dirait que la bête immonde est en train de renaître...*

– On finira sans doute par lui redonner vie à force de complaisance. Considérez les millions qui se dépensent en France au service de la propagande nazie, et surtout l'indifférence des masses. D'ailleurs la haine antisémite n'est jamais morte en France, même si elle a pris d'autres formes que sous l'occupation. Et elle existe dans le peuple, chez le chauffeur de taxi ou la marchande de quatre-saisons. Il est pénible de reconnaître que l'antisémistisme n'est pas le privilège des riches; on le trouve aussi bien dans le peuple que dans les quatiers élégants...

« C'est peut-être parce que nous avons mal fait notre métier, que nous n'avons pas su parler aux gens, ni dire ce qu'il fallait dire quand il fallait le dire, que nous n'avons pas été convaincants. C'est aussi la faute de l'incurable sottise, de la médiocrité humaine; sans doute ne nous appartient-il pas de la métamorphoser. Pourtant, il faut faire comme si nous pouvions l'extirper. Il faut "faire comme si"... Il ne faut jamais démissionner. Si vous démissionnez, vous devenez le complice de cette médiocrité... »

– Autrement dit, votre pronostic concernant le futur n'est pas très optimiste?

– Au contraire, je suis très optimiste puisque je dis qu'il ne faut jamais démissionner, et que l'humanité réconciliée avec elle-même constitue malgré tout un horizon vers lequel nous allons, même si jamais nous ne devons le toucher.

« Sans doute finirons-nous par supprimer progressivement toutes les injustices, et il faut se battre pour y arriver, tout en se rappelant ceci : il y a une chose qu'on ne parviendra jamais à extirper du cœur de l'homme, et c'est sa mesquinerie. La mesquinerie – qu'elle soit jalousie, médiocrité morale, sordidité ou avarice – est la répugnante, l'inextirpable vermine logée dans l'être humain. »

Christian DELACAMPAGNE et Robert MAGGIORI,
4 novembre 1979.

Vladimir Jankélévitch est né à Bourges en 1903.
Professeur honoraire à l'université de Paris I-Sorbonne.

Ouvrages

Philosophie
La Mauvaise Conscience, Aubier-Montaigne, 1933.
L'Odyssée de la conscience dans la dernière philosophie de Schelling, Alcan, 1933.
L'Ironie ou la bonne conscience, 1936, rééd. Flammarion, 1964.
L'Alternative, Alcan, 1938.
Du mensonge, Confluences, 1943.
Le Mal, Arthaud, 1948.
Traité des vertus, Bordas, 1949.
Philosophie première. Introduction à une philosophie du Presque, PUF, 1954.
L'austérité et la vie morale, Flammarion, 1956.
Le Je-ne-sais-quoi et le Presque-rien, PUF, 1957; rééd. Seuil, 1980, 3 vol. t. 1 : La Manière et l'occasion; t. 2 : la Méconnaissance, le Malentendu; t. 3 : La Volonté de vouloir.
Henri Bergson, PUF, 1959.
Le Pur et l'Impur, Flammarion, 1960.
L'Aventure, l'Ennui, le Sérieux, Aubier, 1963.
La Mort, Flammarion, 1966.
Le Pardon, Aubier, 1967.
Traité des vertus, Bordas : t. 1 : Le Sérieux de l'intention, 1968; t. 2 : Les Vertus de l'amour, 1970; t. 3 : L'Innocence et la Méchanceté, 1970.
L'Irréversible et la nostalgie, Flammarion, 1974.
Le Paradoxe de la morale, Seuil, 1981.
Sources, Seuil 1984.

Quelque part dans l'inachevé, Gallimard, 1978.

Musique
Gabriel Fauré, ses mélodies, son esthétique, Plon, 1938.
Maurice Ravel, 1939, rééd., Seuil, 1975.
La Rhapsodie, verve et improvisation musicale, Flammarion, 1955.
Le Nocturne – Fauré – Chopin et la nuit. Satie et le matin, 1942, rééd., Albin Michel, 1957.
Debussy et le mystère, Neuchâtel, la Baconnière, 1949.
La Musique et l'ineffable, Armand Colin, 1961; le Seuil, 1983.
La Vie et la mort dans la musique de Debussy, La Baconnière, 1968.
De la musique au silence : t. I : Fauré et l'inexprimable, Plon, 1974; t. II : Debussy et le mystère de l'instant, Plon, 1976; t. III : Liszt et la rhapsodie; Improvisation, verve, virtuosité, 1979.
Albeniz, Séverac, Mompou et la Présence lointaine, Seuil, 1983.

Emmanuel Lévinas

« Ce qui m'intéresse, c'est de placer
les problèmes du *Talmud* dans la
perspective de la philosophie. »

*Philosophe, juif, Emmanuel Lévinas pratique une
philosophie rigoureuse et difficile. Aujourd'hui, les
plus grands esprits s'intéressent enfin à ses parcours
singuliers. Secrète, originale, cette œuvre complexe,
sans afféterie, parle avec une profondeur métaphysique rare des présupposés de la pensée, de l'attention
aux choses. Ce philosophe qui a été le compagnon de
Husserl et de Heidegger nous aide à pénétrer dans les
arcanes du Talmud. Pour lui la relation à l'Autre est la
relation fondamentale sur laquelle se greffent l'Être et
le Savoir.*

– *Vous avez vécu dans trois terrains culturels : les cultures russe, juive, allemande...*

– Dans mon enfance, j'ai baigné dans la culture russe, mais aussi dans la proximité des textes bibliques. Très tôt j'ai lu la Bible en hébreu; j'ai appris à lire dans cette langue. Je fréquentais aussi Dostoïevski. J'ai vécu longtemps en Ukraine à Kharkov. J'étais enfant, j'avais douze ans pendant la Révolution russe, et j'ai vu cet événement énorme, dramatique, à travers des aspects très quotidiens.

– *A dix-sept ans, vous venez étudier la philosophie à Strasbourg. Vous vous installez en France, mais, en fait, vous vouliez déjà suivre en Allemagne l'enseignement des grands philosophes d'outre-Rhin.*

– A Strasbourg, j'ai suivi les cours de Pradines, et il m'a apporté des tas de choses. En plus, il citait l'affaire Dreyfus du bon côté. Halbwachs enseignait la sociologie. Guéroult me fascinait par sa maîtrise des grands systèmes philosophiques. Mais je voulais faire de la recherche et j'ai décidé de devenir l'élève de Husserl.

– *Plus tard, vous traduirez ses écrits et vous les introduirez en France. En 1928, vous partez en Allemagne, où vous rencontrez aussi Heidegger, bien avant ses malheureuses prises de position politiques en faveur du régime. Cet événement est sans doute l'un des moments capitaux de notre vie.*

– Heidegger m'a littéralement fasciné. Il fallait retenir une place dès le matin si l'on voulait avoir une chance de l'écouter l'après-midi. C'était l'époque de *L'Être et le Temps*. On ne pouvait absolument pas penser, à cette époque, que Heidegger prendrait, quelques années plus tard, des positions politiques aussi tragiques. J'ai assisté, grâce à lui, à sa rencontre avec Cassirer, l'auteur de *La Philosophie des Lumières*. Cette rencontre de 1929 fut un sommet de la pensée. Je me souviens de Heidegger qui était habillé en tenue de montagne; Cassirer, lui, était plus classique, mais il s'en dégageait une impression extraordinaire; je me souviens de la noblesse de sa chevelure blanche. Dans leur dialogue, Cassirer faisait beaucoup allusion à la conception heideggerienne de l'être-au-monde et Heidegger a beaucoup parlé de Kant. J'ai été frappé de l'audace de Cassirer, mais tout autant par l'assurance tranquille de Heidegger.

— *Pouvez-vous décrire le rôle qu'ont joué ces rencontres dans votre formation philosophique?*
— Ma philosophie repose sur une expérience préphilosophique, sur un terrain qui ne relève pas seulement de la philosophie. Je pense que ce que l'on nomme l'horizon de sens ne relève pas simplement de notre expérience du monde.

— *Pourtant, vous vous inscrivez au sein du courant phénoménologique, qui, en France, a été perçu comme un courant de pensée faisant retour aux choses mêmes.*
— Certes, mais aborder les choses mêmes, cela ne consiste pas à aborder le monde tel qu'il est, au moment où je construis un bateau ou une maison. Toute expérience ouvre des contextes qui ne sont pas donnés par l'expérience de la perception. Toute expérience ouvre le monde des choses sensées, celui des autres hommes, sur le rapport à autrui. Autrui est toujours là, quelle que soit la perception qu'on ait de lui. Le sensé relève des lumières de l'expérience d'autrui et la pensée contient toujours plus que ce qu'elle ne peut effectivement obtenir. C'est ici que je me sépare d'une conception de l'expérience qui réduirait la pensée à une pensée de la mesure, à une pensée de l'égal. L'idéalisme a toujours voulu interpréter l'expérience. Il a, en un sens, voulu penser que le réel était absolument égal à la conscience, qu'il n'y avait pas de débordement, de déficit ou de surplus. Pourtant, Descartes montre bien que la forme de Dieu est plus grande que son sens psychologique. D'emblée, on pense plus que ce que l'on peut penser. Cet élément-là est pour moi

caractéristique. Les choses que nous avons à l'horizon débordent toujours leur contenu.

– *L'œuvre de Husserl est, à certains égards, l'odyssée d'un philosophe qui tente de reconstruire, par la séduction, le Moi pur. Et puis, dans ses textes ultérieurs, il va remettre en question l'objectivisme, renvoyer au « monde de la vie ».*

– Le monde de la vie n'est pas un monde de mesure. C'est un monde concret, au sein duquel s'implantent les significations. Pour moi, le plus important c'est que dans l'idée objective il y a moins que dans cette idée relativisée par rapport à l'homme. L'idéalisme s'était toujours imaginé que la réalité n'était que représentation; la phénoménologie nous apprend qu'il y a plus dans la réalité en tant que constituée que dans cette réalité en tant qu'elle capte notre regard. La réalité pèse lourd.

– *Merleau-Ponty, ce phénoménologue français, parlait de la chair du monde.*

– C'est une excellente formule. La réalité pèse quand on découvre ses contextes. C'est cela le message phénoménologique. La déduction ne relève pas de la seule analyse des concepts, les choses ne se contentent pas d'apparaître, mais elles sont dans des circonstances qui leur donnent le poids de leurs horizons. Et ce poids-là, c'est leur richesse.

– *A côté de Husserl et de Heidegger, vous fréquentez assidûment quelques géants de la philosophie. Vous vous êtes même amusé à dire que, sur une île déserte, vous en emmèneriez quatre ou cinq.*

– Ce jeu-là, je le fais avec ironie. Mais, effectivement, il y a eu quelques immenses moments dans l'histoire de la philosophie. J'emmènerais d'abord Platon, ce philosophe de l'objet et de l'idée. La philosophie est platonicienne, et Aristote l'avait bien compris. J'emporterais aussi Descartes et Kant : ils font retour au sujet. Ensuite, Hegel, qui fait de l'histoire une question de la pensée; il donne une vision de l'histoire qui n'est ni empirique ni banale. Enfin, j'emporterais Bergson parce qu'il a pensé la durée. Toute une part de Heidegger n'existerait pas sans lui, et, aujourd'hui, des gens comme Jankélévitch ou Jeanne Delhomme continuent un travail original à partir de Bergson. Mais, dans ce pique-nique, je n'oublierais évidemment ni Husserl ni Heidegger.

– *Venons-en maintenant au Livre, à ce qui est pour vous beaucoup plus qu'un livre, je pense à la Bible.*
– Il y a là pour moi un élément religieux, une Passion avec un grand « P ». A mon retour de captivité dans un camp de prisonniers français en Allemagne, j'ai rencontré un géant de la culture traditionnelle juive. Il ne vivait pas le rapport au texte comme un simple rapport de piété ou d'édification, mais comme horizon de rigueur intellectuelle. J'aimerais dire son nom. C'était M. Chouchani. Tout ce que je publie aujourd'hui sur le *Talmud,* je le lui dois. Cet homme-là, qui avait l'aspect d'un clochard, je le place à côté de gens comme Husserl ou Heidegger. Il fut, avec Jean Wahl et mon regretté ami le docteur Nerson, l'un de mes interlocuteurs privilégiés.

– *Phénoménologue, vous vivez aussi dans le continent hébraïque.*
– Je retrouve là le fait que toute expérience philosophique repose sur une expérience préphilosophique. J'ai rencontré dans la pensée juive le fait que l'éthique ne soit pas une simple région de l'être. La rencontre d'autrui nous offre le premier sens, et dans ce prolongement on retrouve tous les autres. L'éthique est une expérience décisive.

– *Prescrit-elle ce qui doit être?*
– La loi est le résultat du fait que je rencontre autrui. Ce fait implique d'emblée une responsabilité envers lui. Cette différence est une non-indifférence.

– *En Occident, la philosophie est grecque et juive. Vous vivez au sein de ces deux blocs-là.*

– Les textes religieux juifs parlent de la proximité du prochain. La rencontre de l'Autre m'engage, et cela je ne peux le fuir. Quant aux Grecs, ils m'apprennent la langue de la philosophie.

– *Et comment saurais-je que je ne dois pas fuir?*

– Quant à la morale concrète que je devrais tirer d'une éthique, je pense que si l'on regarde de près les textes prophétiques, on voit qu'autrui y est toujours décrit comme plus faible que vous. Je suis toujours son obligé. Dostoïevski, dans *Les Frères Karamazov,* dit que nous sommes tous responsables de tout devant tout le monde, moi plus que tous les autres. Je suis toujours responsable, chaque moi n'est pas interchangeable. Ce que je fais, personne d'autre ne peut le faire à ma place. Le nœud de la singularité, c'est la responsabilité.

– *Que veut donc dire le fait de traduire en grec le texte du* Talmud?

– L'art de communiquer, ce que l'on appelle la théorétisation en philosophie, cela c'est grec. Ces philosophes nous apprennent à dire. Mais la communication n'est pas seulement une forme, et quand nous pensons, nous parlons grec, même si nous ne savons pas cette langue. Il y a du grec dans le français. Pour dire donc, nous communiquons en grec.

– *Et le* Talmud?

– Ce texte se présente sous une forme extraordinairement embrouillée. Il est constitué de traditions orales qui furent ensuite transcrites pour des raisons de commodité. Ce texte-là exige perpétuellement de chercher la signification de ce qui vient d'être dit. Mais vous savez, je ne suis pas un spécialiste. Je me contente de commenter les parties les moins ardues, les plus narratives, les ensembles légendaires. Ce texte est très grand dans la mesure où il n'est jamais séparé de ses exemples. Il s'enrichit toujours de nouveaux aspects.

– *Le* Talmud, *pour vous, c'est aussi un exercice spirituel et vous avez à ce texte un autre rapport qu'à Platon...*

– Ce texte est horriblement difficile, autant que Platon. Vous savez, dans le *Talmud,* il n'y a pas de ponctuation, on passe sans cesse d'un sujet à un autre sans transition. Mais ce qui m'intéresse, c'est de placer les problèmes du *Talmud* dans la perspective de la philosophie! Pourtant, je n'ai pas de règle d'interprétation.

– *Prenons un exemple emprunté à* Cinq Nouvelles Lectures talmudiques, *celui de la côte d'Adam dans la Bible, dans votre chapitre intitulé « Et Dieu créa la femme ». A partir de ce texte, vous tentez de décrire le rapport homme-femme comme un rapport de non-subordination.*

– En hébreu, le mot côte et le mot côté sont un mot unique. Contre la tradition qui lit ce récit dans une optique chirurgicale, je propose une autre version. Je propose de lire côte comme côté. Si on voit cela, on voit qu'il n'y a plus de rapport de partie et du tout, mais bifurcation, division en deux. On voit aussitôt apparaître de nouvelles perspectives, d'égalité, de même origine. Je ne dis pas du tout que la tradition de la domination masculine n'existe pas, mais ce n'est pas la seule. Philosophiquement, le sujet n'est pas seulement une unité. La subjectivité humaine est deux.

– *Pourrait-on penser à la bisexualité décrite par Freud?*

– Il est tout de même étrange que nous nous multiplions comme cela. Le deux est essentiel et il y a peut-être de la multiplicité dans bien des choses.

– *Platon racontait dans* Le Banquet *le mythe de l'androgyne, de cet être double, tantôt homme-homme, femme-femme, homme-femme, cet être coupé en deux par les Titans.*

– On peut aussi se demander s'ils étaient collés nez à

nez... Il y a dans tout cela des points de convergence passionnants, où se retrouvent bien des interrogations des plus grandes civilisations.

– *Dans* Judaïsme et Révolution, *ce texte d'après 1968, vous affirmez la révolution comme libération, comme arrachement aux déterminations économiques. Le personnel ne se négocierait pas, ne donnerait pas lieu à des marchandages.*

– La modernité se définit par l'abondance du mot « révolution ». Il y a même eu la révolution national-socialiste! Mais la révolution, c'est d'abord une nécessité, une urgence, quelque chose qui ne peut pas attendre. Cette idée-là naît avec l'apparition d'hommes hors de leur condition, d'hommes qui exigent des solutions immédiates. C'est une contradiction dans les termes que de parler d'une révolution qui instaure un régime d'oppression.

– *Vous avancez que les textes juifs exigent la justice.*

– Appartenir au judaïsme, c'est appartenir à une tradition, très ancienne. Mais vous savez, les prophètes ne promettaient pas en premier lieu la vie éternelle. Ils ne faisaient pas d'eschatologie, n'analysaient pas seulement les fins dernières, ils disaient le social et le moral.

– *Pour moi qui ne suis pas juif, j'avoue que j'ai du mal à entendre la notion de peuple élu.*

– L'élection ne privilégie pas. L'élection n'a qu'un sens moral. L'homme moral, c'est celui qui, dans une assemblée, fait la chose qu'il y a à faire. Là, il s'élit. Le prophète, celui qui revendique la justice, il n'est pas élu par les autres, il est élu parce qu'il a entendu l'appel le premier.

« C'est à tort qu'on a pu ressentir l'élection comme un privilège. Certes, pendant la persécution, elle a pu être souvent un élément de consolation, et cette conscience d'élection a pu devenir égoïste. Mais il ne faut pas, j'y insiste, voir cette notion comme une prérogative. Le prophète Amos dit : " C'est vous seules que j'ai choisies entre toutes les familles de la terre, c'est pourquoi je vous demanderai compte de toutes vos fautes. "

– *Et que pensez-vous du sujet moral de Kant, qui se constitue, lui, dans son autonomie?*

– J'aime la seconde formule de l'impératif catégorique, celle qui dit de « respecter l'homme en moi et en autrui ». Dans cette formule, nous ne sommes pas dans la pure universalité, mais déjà dans la présence d'autrui. Vous savez, les droits de l'homme ne sont pas une chose neuve, on en trouve déjà des traces chez Cicéron. Ce qui m'importe beaucoup plus, c'est que les droits de l'autre passent avant les miens. Cela, c'est beaucoup plus important. Il faudrait entendre que les droits de l'autre ne commencent pas seulement par la défense de mes propres droits.

– *Le* Talmud, *cet art du commentaire, pose – en un sens – la question du statut du commentaire en général.*

– Le commentaire, c'est la vie du texte. Si un texte vit aujourd'hui, c'est parce qu'on le commente. Les sens ne s'épuisent pas dans l'interprétation. Et ceci est vrai pour le *Talmud* mais aussi pour Platon ou pour Goethe. Quand on lit Goethe, on lit aussi le commentaire du *Faust*, il y a là des vies innombrables du texte. Proust réalise cela à l'égard de son passé, et, nous, nous réalisons cela à l'égard de Proust. Et puis, pensez à Kafka. Il décrit une culpabilité sans crime, un monde où l'homme ne comprend jamais les accusations qu'on porte contre lui. On voit naître là la question du sens. Ce n'est pas seulement : « Ma vie est-elle juste? », mais plutôt : « Est-il juste d'être? ». Ceci est très important, car on mesure toujours le bien à l'aune de l'être qui est.

– *Vos commentaires sont originaux en ce qu'ils ne*

prétendent pas accéder à une interprétation définitive, vraie, terroriste.

– C'est parce qu'il y a une multiplicité d'hommes que le texte peut avoir tous ces sens. S'il en manque un, un sens est perdu.

– *Il y a aussi une multiplicité de cultures des juifs, des Grecs, mais aussi des Bororos des Mongols, des Indiens...*

– Certes, mais c'est l'Europe qui, à côté de bien des atrocités, a inventé l'idée de « déseuropéanisation »; c'est là une conquête de la générosité européenne. Pour moi, bien sûr, la Bible est le modèle de l'excellence; mais je dis cela en ne connaissant rien au bouddhisme.

– *Une dernière question que j'ose à peine poser après Auschwitz. Qu'est-ce qu'être juif? Vous dites que pendant la guerre certains résistants ont été plus juifs que des juifs. Comment expliquerait-on à un Chinois du XXe siècle ce qu'est le fait d'être juif?*

– Je comprends votre appréhension, votre prudence. Après la persécution, cette question est difficile, presque imposable. Mais vous me la posez, et je dirai seulement que, être juif, ce n'est pas une particularité, c'est une modalité. Tout le monde est un peu juif, et s'il y a des hommes sur Mars, on y trouvera des juifs. De plus, les juifs, ce sont des gens qui doutent d'eux, qui, en un certain sens, appartiennent à une religion d'incroyants. Dieu dit à Josué : « Je ne t'abandonnerai pas. » Quand je lis ce texte, je souligne : « Je ne te lâcherai pas non plus; tu ne pourras pas t'enfuir. »

Christian DESCAMPS,
2 novembre 1980.

Emmanuel Lévinas est né en Lituanie en 1905.
Professeur honoraire à l'université de Paris-Sorbonne.

Ouvrages

Théorie de l'intuition dans la phénoménologie de Husserl, Vrin,
1930.
De l'existence à l'existant, Vrin, 1947.
En découvrant l'existence avec Husserl et Heidegger, Vrin,
1949.
Totalité et Infini. Essai sur l'extériorité, Nijhoff, La Haye,
1969.
Difficile Liberté, Albin-Michel, 1963.
Quatre Lectures talmudiques, Minuit, 1968.
Humanisme de l'autre homme, Fata Morgana, 1972.
Autrement qu'être, ou au-delà de l'essence, Nijhoff, La Haye,
1974.
Sur Maurice Blanchot, Fata Morgana, 1975.
Noms propres, Fata Morgana, 1975.
Du sacré au saint. Cinq nouvelles lectures talmudiques, Minuit,
1977.
Le Temps et l'autre, Fata Morgana 1979; rééd. PUF, 1983.
L'Au-delà du verset, Minuit, 1981.
De Dieu qui vient à l'idée, Vrin, 1982.
Éthique et Infini, Dialogues avec Philippe Nemo, Fayard, 1982.

TRADUCTION DE L'ALLEMAND :

Husserl : méditations cartésiennes, Vrin, 1931, en collaboration
avec Gabrielle Peiffer.

Jean-François Lyotard

« Dans les sociétés post-modernes,
c'est la légitimation du vrai et du
juste qui vient à manquer. »

*A l'heure de l'explosion télématique et de la désin-
tégration des grands blocs de savoir littéraire, scientifique, le philosophe Jean-François Lyotard s'interroge
sur l'absence de croyances du monde contemporain –
qu'il qualifie de « post-moderne ». Professeur à l'université de Paris-VIII, il a eu un parcours original.
Ancien militant du groupe « Socialisme ou barbarie »,
il rencontre en 1968 le mouvement du 22-Mars, du
côté de Nanterre. Dans* Discours-figure *(1969), il suit
les rapports de l'art et de l'insconcient. Puis il publie,
en 1975, un livre qui fait scandale –* L'Économie
libidinale *– où il lie l'économie politique au désir, la
théorie à la jouissance, l'art aux intensités affecti-
ves.*

Dans La Condition post-moderne *et* Au juste, *il
analyse le décollage de l'informatique, de la cybernétique et des banques de données. Sous nos yeux, le
classement, l'acquisition et l'exploitation des connaissances se modifient en profondeur. Après le transport
des hommes de la révolution industrielle, après la
circulation des images et des sons, c'est l'accélération
des savoirs qui modifie maintenant notre vie quotidienne.*

– *Les croyances au progrès, à la science, qui carac-
térisaient la modernité sont maintenant usées. Nous
serions dans une société post-moderne?*

– Ce terme, que j'emprunte aux Américains, désigne
un état de la culture. On peut appeler modernes les
sociétés qui ancrent les discours de vérité et de justice
sur des grands récits historiques, scientifiques. Bien
sûr, on rencontre là des variantes multiples. Les jaco-
bins français ne parlent pas comme Hegel, mais
toujours le juste et le bien se trouvent pris dans une
grande odyssée progressiste. Dans le post-moderne,
dans ce que nous vivons, c'est la légitimation du vrai et
du juste qui vient à manquer. Or, c'étaient ces notions
qui permettaient ici d'exercer la terreur, là de lécher
les bottes du roi de Prusse, ailleurs, d'être stalinien ou
maoïste. Aujourd'hui, le discours du capital lui-même
est en crise. Le « enrichissez-vous » ou le discours du
progrès sont en train de disparaître. La crise, ce n'est
pas seulement le fait que le pétrole coûte cher, c'est – à
mon sens – la crise de ces récits.

– *Dans les crises classiques, « ça allait mal », mais
les explosions millénaristes ou révolutionnaires
allaient relancer la machine, allaient tout sauver...
Dans la post-modernité nous vivons des crises sans
grand soir.*

– Rien n'est jamais acquis et l'on n'est jamais à l'abri
d'une résurrection de la puissance d'un récit universel. Le
nazisme l'a mobilisé pour échapper à la crise. D'ailleurs,
on a toujours besoin de « fables » et nous en désirons tous.
Mais le retour du grand récit de l'histoire serait une
rechute. Il peut, d'ailleurs, venir de bien des lieux, de la
droite classique, de la droite extrême, mais aussi de la
gauche. Mais si tout cela reste possible, il me semble que
les conceptions générales de la société ont abandonné
l'idée d'une unité, d'une histoire universelle, de tout ce qui
implique un modèle de prévision possible. Tout ceci –
évident dans les sciences depuis la grande crise de la fin du
XIXe siècle – circule maintenant massivement dans le
social.

    – *Chacun sent qu'il se passe quelque chose d'irré-versible. Cela peut aller de la plus extrême jubilation au désespoir le plus profond.*

    – Certains jubilent d'être affranchis des contraintes de la métaphysique, d'autres vivent très mal la perte des objets de croyance. « Que reste-t-il à faire » si l'on n'a plus ni à lutter ni à souffrir pour libérer l'humanité, ni non plus à lutter pour s'enrichir? Il y a là une vacuité, un flottement, mais celui-ci peut être très riche et très inventif. Le système n'est jamais clos, ni comme système de pensée ni comme système économique. Il dérange constamment les ordres qu'il suscite. Il ne peut se refermer – même si cette tentation l'habite çà et là – précisément parce qu'il a perpétuellement besoin de « nouveau » pour rester compétitif.

    – *Les grosses alternatives politiques ou religieuses auraient disparu?*

    – Plus personne ne croit plus vraiment aux salva-tions globales. Dans les pays développés, les partis communistes n'offrent plus que des nuances dans la gestion du système. Pour un politique traditionnel, pour un « révolutionnaire classique », c'est désespérant. Mais ce ne l'est plus du tout si l'on s'intéresse à la capacité de produire de « l'à-côté ». Il ne s'agit pas des marges, mais de ce que l'on trouve au cœur des inventions de l'art et de la science.

    – *On entend souvent dire : « La science fonctionne pour le système. » Mais elle mine aussi ses régula-tions.*

    – La science mobilise des investissements et des régulations, et puis en même temps elle ne cesse de produire des énoncés – qui en respectant les règles du langage scientifique – ne sont jamais attendus. Ces para-énoncés-là me passionnent. On les trouve dans des champs extrêmement divers qui vont de l'invention d'un théorème mathématique aux œuvres de Duchamp. Les artistes – encore plus post-modernes que les scientifiques – ne cessent de produire de l'à-côté. Les peintres, les écrivains, les cinéastes, inventent hors de toute référence.

– *Nous expérimentons une situation de relativité généralisée?*
– L'art n'existe vraiment que dans des jeux qui conduisent aux lisières du spatio-temporel, aux limites du corps. Il y a là un jeu passionnant avec ce qui est jugé, négocié comme « acceptable ». Les arts contemporains détruisent le goût comme norme, comme consensus. Les plus audacieuses des percées déshumanisent le corps de la tradition classique et romantique. Tout ce qui se passe de véritablement intéressant relève de cette mouvance; et, au sein de celle-là, chacun se retrouve en conflit avec l'autre et peut très bien juger que ce que produit l'autre ne vaut rien.

– *Le jeu social serait-il de même nature que ces champs artistiques ou scientifiques?*
– En simplifiant à l'extrême, on peut voir que le capitalisme dans sa version de minimum d'État – qui est loin d'être encore réalisée, cela peut prendre des siècles – réduit considérablement les contraintes sociales. Il ne demande plus aux gens de participer à des idéaux communs. Il réclame seulement un minimum de temps de travail nécessaire.

« Il est complètement stupide de continuer à travailler quarante heures, et l'on peut imaginer un accord général concernant la baisse du temps de travail. On touche déjà du doigt une situation où le travail a perdu son importance comme idéal et comme raison de vivre. Il n'est plus qu'un seuil minimal exigible pour que la société ne disparaisse pas. Le lien social ne se réalise plus que sous la forme du salaire.

« Au plan du langage, nous assistons également à une extrême liberté par rapport aux contraintes institutionnelles. Est-ce que l'on peut imaginer qu'un conseil des ministres raconte des histoires, que l'on revendique dans une caserne, que l'on expérimente sur la langue à l'Université? On le peut très bien, à condition que le conseil travaille avec des scénarios prospectifs, que les supérieurs acceptent de délibérer avec les soldats, que l'Université ouvre des ateliers de création.

« Dans tous ces cas, les limites de l'ancienne institution sont déplacées. Ces dernières ne disparaissent pas, elles tolèrent de " l'à-côté ". Ces situations-là sont dues au fait que le lien social ne passe plus essentiellement par l'importance de l'institution. »

– Dans le patchwork que présente le savoir contemporain, le développement des sciences et des technologies a une certaine autonomie. Il passe souvent en deçà ou au-delà du contrôle des États. Vous parlez de l'informatique, et, pour une fois, quelqu'un ne se contente pas de dénoncer les dangers de la mise en fiches. Vous voyez dans l'usage de l'informatique la possibilité de démultiplier les inventions, les « coups », les jeux de langage.

– L'État français prétend – archaïquement – maintenir un monopole sur les télécommunications. S'il le réalise vraiment, ce sera une castastrophe programmée par des politiques qui ne savent penser qu'en terme d'État royal ou d'État jacobin. Car déjà – de fait – l'État n'a plus ce monopole. Le pouvoir appartient aux grandes entreprises qui fabriquent les machines, qui disposent des réseaux ou des services. D'un côté, l'informatique renvoie à l'État, mais, de l'autre, elle peut aussi ouvrir des possibilités immenses si l'on donne aux gens l'accès aux mémoires, aux banques de données...

« Avec un terminal intelligent qui brancherait sur la mémoire de la Bibliothèque nationale, les possibilités de connexion de savoir deviendraient inouïes. »

– On retrouve alors la question du pouvoir d'accès à tout cela. Et c'est là l'enjeu politique du « qui dit quoi et à qui? ».

– Tout ceci engage aussi bien l'état du marché d'un

éditeur qui veut vendre de la science-fiction que l'état de la physique du globe. L'on rencontre aussi la difficulté de la transformation des contenus de savoir en unités d'information. Les tentatives de mémoriser les textes philosophiques ont jusqu'à présent échoué. Certains contenus de savoir ne sont plus réductibles à de l'information. Hegel ne donne pas d'information. *Comment je vois le monde,* d'Einstein, non plus. Là moitié de ces contenus-là n'est pas comptable.

– *La science raconterait des histoires, argumentées dans les règles du jeu scientifique. Il lui faut tout de même apporter des preuves.*

– Pour un scientifique, l'important n'est pas tant que ce qu'il dise soit vrai, mais que ce qu'il avance ne soit pas faux, qu'il n'y ait pas de contre-exemple. Ce changement-là est fondamental. Les savants racontent des histoires qui ne sont pas unifiées du tout. D'ailleurs, l'idée d'une théorie unitaire est complètement problématique. Et, quand on en rencontre une, c'est une théorie de la multiplicité. Il n'y a de déterminismes que locaux, il n'y a que de petits récits.

– *Pourtant, l'usage socio-politique de la science s'appuie encore souvent sur une vision progressiste héritée du XIXᵉ siècle. Regardez l'usage de la médecine dans les médias.*

– L'État investit en effet dans la recherche médicale. Les gens en voient la fonction immédiate, bénéficient de la lutte contre la maladie et la mort. Là se forme un gros noyau qui semble rationnel. Il y a un siècle, c'est la physique qui tenait ce rôle. C'est elle qui devait, grâce à des applications industrielles, libérer l'humanité. C'est cela que racontait le saint-simonisme. En un certain sens, la médecine joue maintenant ce rôle. Mais, à côté de cela, le discours de la science se révèle comme très souple et très rigoureux. Il est rigoureux dans ses règles d'acceptabilité; mais, dès que l'on est entré dans la communauté scientifique, c'est la bagarre. Il s'agit alors de trouver les défauts de l'argumentation ou de l'expérimentation, les contre-exemples. Ici l'on est tout proche de la rhétorique judiciaire qui dit : « Votre témoignage ne vaut rien. »

« Si l'on examine la science en train de se faire, on assiste à de fabuleuses joutes rhétoriques. On retrouve là les " coups " qui inventent de nouvelles règles aussi belles qu'une ouverture inédite dans un jeu d'échecs. »

– *Ces « coups », on les retrouve aussi dans la politique, dans la musique. C'est ce que réalise Schön-berg.*

– Schönberg est un bon exemple. Il utilise une gamme de douze à la place d'une gamme de huit; il abandonne la mélodie, ce récit de la musique post-romantique. Mais il reste encore classique. En fait, les changements ne sont jamais complets; les « coups » et les jeux de langage se passent toujours dans des zones partielles. Ils ne sont pas synchrones, leurs auteurs ne se connaissent pas. Pourtant, il me semble qu'aujourd'hui les sciences et les arts cumulent ces effets-là. « La politique – comme souvent – est en retard. »

– *Les « Indiens métropolitains » italiens de 1977 n'inventaient-ils pas, avec leur dadaïsme politique, des « coups » inédits?*

– J'aimais beaucoup ce mouvement-là, même si la moitié de ses productions étaient carrément débiles. Mais s'intéresser à l'errance, c'est accepter un déchet formidable. On voit bien cela dans les sciences comme dans les arts. De toute façon, c'est inévitable si l'on ne régule pas « avant ». Et réguler avant, c'est toujours être dans la terreur du pouvoir.

– *Mais le savoir, même hypermoderne, c'est quand même beaucoup plus que la science.*

– Dans les sociétés classiques, le savoir est régulé par des récits mythiques, par des légendes, et ce savoir-là – qui n'a pas totalement disparu – n'est jamais savoir tout court. Au petit paysan traditionnel, on apprend à cultiver le blé; mais en même temps on lui dit ce qu'il faut écouter, comment parler, comment s'inscrire dans les récits. L'ordre classique apprend dans le même temps le réel, le beau et le juste. Tout cela est éclaté depuis longtemps, et les Temps modernes ont fabriqué – avec les Lumières – un grand récit de la nature, de la société. Le roman, c'est le savoir-dire et le savoir-être de cette modernité. Tout cela se désagrège dans la post-modernité. Notre savoir-vivre, notre savoir-écouter, expérimentent sans grand récit.

– *Chacun est renvoyé à soi. C'est à la fois peu et beaucoup. Très peu parce que chacun est atomisé et beaucoup, car même le plus défavorisé, dites-vous, n'est pas totalement dénué de pouvoir sur les messages qui le traversent.*

– Chaque individu n'est en effet pas grand-chose. Mais comme les institutions – l'école, la famille, la sexualité – sont sans cesse mises à l'épreuve par le système lui-même, il se voit contraint d'inventer des conduites. La politique du minimum d'État laisse beaucoup au Soi, qui se voit amené à produire ses petits récits.

– *Dans cette description, comment articuler des positions, des refus politiques?*

– Le critère qui me semble pertinent, c'est celui de l'expérimentation des limites des institutions, des jeux de langage... Comment passe-t-on à travers ce que l'on pensait hier comme infranchissable? Un jeu de langage qui était perçu comme scandaleux et qui finit par être accepté peut produire – peut-être – un peu plus de liberté. Je fais l'hypothèse de retrouver ces espaces dans la société. Si cela se révélait impossible, elle ne serait qu'un bloc noir et opaque dans lequel il ne vaudrait même plus la peine de parler.

« Y a-t-il une limite à l'expérimentation? Qu'est-ce qu'aller trop loin? Un exemple : après la Révolution russe, les suprématistes, les constructivistes, foncent dans les brèches ouvertes : ils expérimentent. On leur dit : " Ce que vous faites est incompréhensible pour les masses. " Lénine veut de l'art " utile ". La limite se donne ici clairement comme une limite de l'expérimentation esthétique. Or je ne reconnais à aucun parti le droit de limiter l'expérimentation des artistes, des savants.

– *Tout est-il pour autant permis?*
– Non, car il ne faut reconnaître à personne l'autorité terroriste d'imposer à l'autre un rôle. La terreur, c'est : « Tu vas faire ceci, sinon... » C'est ce « sinon » qui est intolérable. Ces terribles menaces-là – dont notre siècle et notre présent sont si riches, – ce sont toujours celles qui cassent le droit de jouer. »

Christian DESCAMPS,
14 octobre 1979.

Jean-François Lyotard est né en 1924 à Versailles.
Professeur à l'université de Paris-VIII.

Ouvrages

La Phénoménologie, PUF, 1954.
Discours, figure, Klincksieck, 1971.
Dérive à partir de Marx et Freud, 10/18, 1973.
Des dispositifs pulsionnels, 10/18, 1973; Christian Bourgois, 1981.
Économie libidinale, Minuit, 1974.
Les Transformateurs Duchamp, Galilée, 1977.
Instructions païennes, Galilée, 1977.
Rudiments païens, 10/18, 1977.
Récits tremblants, avec J. Monory, Galilée, 1977.
Le Mur du Pacifique, Galilée, 1979.
La Condition postmoderne, Minuit, 1979.
Au Juste, avec J.-L. Thébaud, Christian Bourgois, 1979.
La Partie de peinture, avec H. Maccheroni, Maryse Candela, 1980.
La Constitution du temps par la couleur dans les œuvres récentes d'Albert Ayme, Traversière, 1980.
L'Assassinat de l'expérience par la peinture, Monory, Flammarion, 1984.
Le Différend, Minuit, 1984.

Jacques Rancière

« Les artisans de 1840 posaient la
question inaugurale de la philosophie : qui a droit à la pensée ?

*L'effet conjoint de la théorie marxiste et des recher-
ches positives historiques et sociologiques conduit à
penser que désormais l'identité du prolétariat est
définitivement assurée. L'image du prolétaire, dans
cette perspective, serait fidèle, sans effet déformant ni
reflet trompeur. Jacques Rancière ne partage pas ce
sentiment. Ses recherches ouvrent la voie à une vision
nouvelle de la pensée ouvrière. Travail de recherche
qui vise à reconstituer, « en deçà et au-delà des
certitudes dogmatiques sur le Peuple, l'État, la Révolution, la complexité historique et les effets de miroir
des pratiques et des discours des acteurs sociaux ».
Jacques Rancière est l'un des animateurs du Collectif
« Révoltes logiques », qui publie les travaux partici-
pant du même souci d'opposer les « évidences charnel-
les » aux « méfaits de l'idéologie ».*

– *Il serait commode de vous ranger parmi les historiens du mouvement ouvrier. Mais vous récusez cette qualification. Vous rêvez d'un travail visant à « décalibrer la marchandise, arracher les pancartes, déflécher les voies »...*

– Par profession, je ne suis pas historien, mais philosophe. J'ai été amené sur le terrain de l'histoire par les impasses de la grande idée des années 1968-1970 : l'union de la contestation intellectuelle et du combat ouvrier. Pour comprendre l'échec ou le détournement des discours et des pratiques marxistes, j'ai voulu revenir jusqu'à ces années 1840-1850 où la théorie marxiste était venue se greffer sur la protestation ouvrière et opposer la conscience du « mouvement réel » aux espérances et aux plans de l'utopie.

« L'histoire des mentalités me servait à la fois de modèle et de repoussoir. A sa prédilection pour les longues durées de l'histoire " immobile ", les habitudes alimentaires ou les attitudes devant la mort, je voulais opposer une anthropologie du combat ouvrier : des sociabilités spontanées aux organisations réglées, des chuchotements quotidiens aux grands mots d'ordre, du savoir de l'outil au savoir de l'arme. J'ai vite déchanté : les brochures et journaux ouvriers nous renseignaient surtout sur l'image qu'ils voulaient donner d'eux-mêmes. Les pratiques de résistance ou les sociabilités ouvrières ne nous parvenaient qu'à travers les descriptions de patrons aux abois ou de philanthropes fantasmant sur les promiscuités de la misère ou les orgies du cabaret. »

– *C'est à partir de cet échec que se précise votre orientation...*

– Cet échec permettait justement une interrogation sur la fonction critique conférée à l'histoire, sur le rôle présent de l'historien dans notre culture : il est celui qui « démystifie », qui renvoie les illusions de la subversion gauchiste aux conditions matérielles et aux comportements qu'elles autorisent. Mais cette fonction critique se double d'une production d'évidence plus dogmatique au fond que les idéologies détruites. D'un côté l'historien a le sérieux de la conscience : il a appris de l'ethnologue l'art de faire fonctionner ses objets, de traiter les pratiques comme des discours et les discours comme des pratiques. Mais ces objets ne se contentent pas de vérifier le fonctionnel de la science, ils l'incarnent avec leur poids d'évidence charnelle. En belles images, ils nous montrent que l'ordre social est rationnel et qu'il se réfléchit adéquatement – aujourd'hui comme hier – dans les distributions de l'ordre idéologique et politique existant. L'historien nous donne à la fois la rationalité du concept et l'évidence de l'image : balisage du territoire social, du centre à la périphérie.

« Bizarrement, c'est dans l'histoire ouvrière que ça marche moins bien. L'ouvrier, pourtant, c'est le héros même de notre pensée fonctionnaliste : l'homme du fameux " tour de main " qui rend la matière adéquate à la pensée et à la fin de l'objet; le lutteur qui résiste à l'oppression prend conscience de l'exploitation, s'organise pour combattre. Mais précisément, il y a là trop d'idéologie pour qu'on puisse la résorber jamais dans l'ethnologie des sociabilités populaires ou des pratiques ouvrières. Il faut toujours en donner une interprétation – marxiste ou anarcho-syndicaliste, en termes de culture ou de stratégie... – qui s'avoue comme telle.

« C'est là justement que réside la possibilité de " déflécher les voies ". Le discours endimanché du poète ou du militant ouvrier des années 1840 dit cela : ils ne marchent pas; ils n'arrivent pas à trouver leur satisfaction dans le " tour de main " de la " culture ouvrière ", ni leur identité dans la chaleur du collectif. Derrière la flatterie qui oppose la positivité de leur faire au bavardage et à la rêverie petites-bourgeoises, ils reconnaissent le même statut que Platon conférait jadis à l'artisan : celui d'une âme de troisième classe. Déjà Platon, pour interdire à l'artisan de s'occuper de politique, devait louer sa supériorité de producteur sur les faiseurs de simulacres (peintres ou sophistes). Précisément ceux que j'ai étudiés auraient voulu être fabricants d'ombres (peintres, poètes, philosophes). Et pourtant ce sont eux qui, en bout de course, produisent l'image du fier ouvrier. Mon objet, c'est le parcours paradoxal de cette identification. »

– Ce qui séduit dans votre démarche, c'est cette traversée du désert des abstractions – marxistes ou autres. Vous parvenez à cerner des figures concrètes d'ouvriers, comme celle de ce menuisier-poète saint-simonien. Quel changement de perspective cela apporte-t-il?

– Figures concrètes, oui, mais il faut s'entendre. Le positivisme régnant a aussi ses figures concrètes : « enfants du peuple » ou « anti-héros » dont la particularité vérifie – mieux, incarne – les généralités approximatives du discours savant. Il s'agit ici, au contraire, de figures divisées, de visages dans le miroir, d'ouvriers qui affrontent leur image et congédient leur concept.

« Vous faites allusion au menuisier Gauny. Il nous a laissé des manuscrits assez extraordinaires – correspondances, articles, poèmes : pas de Mémoires d'enfant du peuple, mais l'expérience au présent d'une interrogation proprement philosophique : comment peut-on être ouvrier?

« Il nous décrit, heure par heure, sa journée de travail. Et il n'y est pas question de la belle ouvrage des nostalgiques, pas non plus de la plus-value, mais de la réalité fondamentale du travail prolétaire : le temps volé. Et nous ressentons que nos mots – exploitation, conscience, révolte... – sont toujours à côté de l'expérience de cette vie " saccagée ".

« Il entreprend de se libérer : pour lui et pour les autres, car nos oppositions sont là aussi dérisoires : les " chaînes de l'esclavage " doivent être rompues par des individus déjà libérés. Il prend un travail de parqueteur à la tâche, où il se libère du maître tout en restant et en se sachant exploité : et il nous montre que nous, philosophes, n'avons rien compris aux rapports de l'illusion et du savoir, de la liberté et de la nécessité.

« Il va au bout du paradoxe. Il se forge une philosophie de l'ascèse. Quand les ouvriers n'ont à peu près rien à consommer, il récuse la société de consommation. Il invente une économie de la liberté à la place d'une économie des richesses.

« Il nous montre le nerf de la passion militante de ses pairs : pas la " prise de conscience " de l'exploitation (ils le savaient d'avance), pas la solidarité ouvrière (les autres sont d'abord les complices du maître), mais le désir de voir ce qui se passe de l'autre côté, d'être initié à une autre vie. Ils envient aux bourgeois non pas la positivité de leurs richesses mais la négativité de leurs " temps morts ", de leur loisir, de leur nuit. A l'origine du discours de l'émancipation ouvrière, il y a le désir de ne plus être ouvrier : ne plus abîmer ses mains et son âme, mais aussi ne plus avoir à demander ouvrage ou salaire, à défendre des intérêts; ne plus compter le jour, ne plus dormir la nuit...

« Celui-là a la force de vivre son rêve, sa contradiction : être ouvrier sans l'être. Ainsi fait aussi sa sœur en utopie : la couturière Désirée Véret. D'autres, comme la couturière Reine Guindorff ou le typographe Adolphe Boyer, en meurent. Certains, comme le serrurier Gilland, après avoir rêvé la " harpe de David ", tâchent de ramener leur absolu à la mesure des " intérêts moraux et matériels des ouvriers ". D'autres vont périr de malaria dans ce Texas où ils cherchent l'Icarie. Il en est enfin qui s'enrichissent... par désespoir.

« Expérience unique : en face des théoriciens utopistes et des jeunes bourgeois bien intentionnés, qui veulent soigner leurs misères et promouvoir le travail de l'avenir, ces artisans rejouent la question inaugurale de la philosophie : qui a droit à la pensée? A quelles marques distingue-t-on ceux qui sont nés pour travailler de leurs mains et ceux qui sont nés pour penser? Ils nous prennent ainsi à revers.

« Au lieu d'incarner les concepts de notre science, ils dramatisent notre philosophie. Ils ne fonctionnent plus, ils pensent. Et ce ne sont pas seulement nos niaiseries sur le travail, la conscience et la révolte qui sont récusées. C'est le fonctionnement de ce que nous ne craignons pas d'appeler notre pensée qui est questionné en retour. »

– *On sent l'expérience de mai 68 très présente dans votre travail. Comment s'accorde-t-elle avec une recherche sur le XIXe siècle?*

– Le rapport est tout naturel : n'a-t-on pas parlé en 1968 d'un retour au XIXe siècle? En 1967, les gens informés nous voyaient déjà en marche vers le XXIe siècle : les étudiants ne s'occupaient plus que d'études et de débouchés, les ouvriers s'embourgeoisaient, vaincus par les délices de la machine à laver. Et puis quelques mois plus tard, on se retrouvait en plein XIXe : les barricades, le drapeau rouge. Bien sûr, avec le retour à l'ordre, la grosse artillerie théorique est venue nous rappeler que le sérieux du mouvement ouvrier, digne et responsable, n'avait décidément rien à voir avec les accès de fièvre des petits bourgeois qui jouent à la révolution.

« Seulement voilà : l'histoire nous montre que les ouvriers n'ont jamais cessé de se comporter comme ces "petits bourgeois". Prenez juillet 1830 : dans l'imaginaire d'une génération ouvrière, il joue exactement le même rôle que mai 68. C'est le moment où l'on a décidé que "rien ne serait plus comme avant". Tout se mesure à ces trois jours de lutte et de fête, de soleil, de gloire et d'amitié, où le peuple a montré ce qu'il était. Pourtant ils y ont souvent beaucoup perdu : les affaires allaient assez bien, ils avaient amassé un petit pécule, ils allaient peut-être s'établir à leur compte. Et après la révolution, les affaires périclitent, tandis que la répression vient vite. Un an après, les saint-simoniens rencontrent des ouvriers jadis à l'aise qui n'ont pas encore retrouvé de travail, ou bien font n'importe quel travail – au demeurant ces " artisans ", supposés si attachés à leur " qualification ", vivent le plus souvent l'existence, supposée inédite, de nos " précaires " et partagent, plus qu'on ne le croit, leur distance vis-à-vis de l'idéologie du travail. Ces orphelins de Juillet s'accrochent à la nouvelle foi. Elle s'effondre vite, elle aussi. Mais cela ne fait rien : dans le collier de leurs espérances, les paroles d'amour saint-simoniennes s'attacheront à la relique des trois journées, elles fortifieront, à travers les tentatives et les revers, la décision désormais inéluctable : *ne pas mourir idiots.*

« Dès qu'on perce la croûte du discours de représentation, et parfois même dans ce discours, on est fasciné par un certain air de famille : un certain décrochement originel, une certaine idée de la vie à changer... C'est aussi que ce temps est celui de la franchise : le vernis de la flatterie ouvriériste ne vient pas encore camoufler le désespoir devant la condition ouvrière ou le mépris pour ces " frères " mêmes que l'on défend.

« Au début, mon intérêt pour le XIXᵉ siècle était de type archéologique ou généalogique : je voulais saisir en leur origine les contradictions dont notre présent avait hérité. Chemin faisant, il s'est déplacé : j'ai été de plus en plus attentif à la similitude des rapports existentiels, à la façon de vivre le temps historique, les grandes dates, les cycles de l'espoir, du découragement, du retour à zéro, de l'espoir déplacé. C'est devenu un peu l'histoire intellectuelle d'une génération : comment des ouvriers qui, en 1830, s'étaient dit qu'ils ne vivraient plus comme avant, ont tenu leur engagement. »

– *Le savoir positif rendu à sa cécité, ne reste-t-il au bout du chemin que le désespoir ou le scepticisme? Pourtant vous vouliez « rendre aux rebelles leurs raisons, aux enfants amoureux leurs cartes et leurs estampes »...*

– Bien sûr, on pourrait conclure : tout a échoué, le saint-simonisme, les associations ouvrières, la communauté icarienne. Et la ruse de la raison a conduit ces ouvriers rêveurs sur les vrais chemins de l'avenir, ceux des disciplines – et des dictatures – du travail roi.

« Mais l'histoire se termine autrement : par les lettres d'amour qu'une vieille femme envoie au théoricien et à l'amant des lendemains de Juillet. Elle a toujours vécu dans le rêve et la cécité seule l'oblige, en cette fin de vie et de siècle, à " s'adapter " au réel. Ce n'est pas l'allégorie du désespoir, mais au contraire d'une invincible fermeté à maintenir, dans une vie vouée aux contraintes de la demande prolétaire et aux aléas de la répression politique, le non-consentement initial; à vivre en même temps la mort de l'utopie et le refus du réel.

« Car, si l'utopie est morte, c'est d'avoir voulu faire un monde positif avec les raisons divisées des prolétaires. Il n'y a pas d'homme nouveau, il y a seulement des gens qui essaient de vivre deux vies. Aussi ne désespèrent-ils pas, ne sont-ils pas désespérants. Leur croyance est infiniment plus rusée que ne l'indiquent les désespoirs en carton-pâte de nos orphelins nantis. Leçon d'un refus maintenu, d'une sagesse plus exigeante; disons, une certaine mesure de l'impossible.

« Mon projet, comme celui des *Révoltes logiques :* transcrire la mémoire de ces affrontements imperceptibles, la trace de ces chemins, la marque de ces ruptures. Rien à voir avec les collectes " populaires " du positivisme historique ou sociologique. Non pas la nostalgie des souvenirs, mais l'insistance des questions, le prolongement d'une brèche. Autre chose aussi que le simple retrait d'une pensée critique : des savoirs, des récits incluant le travail du négatif (le décalibrage, le défléchage...); un ordre de discours qui marque la non-conciliation, la différence à soi des " objets " sociaux. Des cartes, des estampes... Pas de photographie, pas de radiographie.

« Aucun désespoir là-dedans. Une forte tension. Beaucoup de travail en perspective pour qui ne veut pas mourir idiot. Et tant pis pour les gens fatigués! »

Edmond El MALEH.

Jacques Rancière est né en 1940.
Maître-assistant à l'université de Paris-VIII. Animateur du Collectif *Les Révoltes logiques* créé en 1975, qui a publié une revue,
remplacée maintenant par une collection de textes philosophiques aux éditions La Découverte.

Ouvrages

La leçon d'Althusser, Gallimard, 1974.
La Nuit des prolétaires, Fayard, 1981.
Le Philosophe et ses pauvres, Fayard, 1983.
Co-auteur de *Lire le capital*, avec Louis Althusser, Maspero,
1965, et de *La Parole ouvrière*, 10/18, 1976.

Paul Ricœur

« En fabriquant des intrigues et des métaphores, l'imagination donne forme à l'expérience humaine. »

Paul Ricœur est président de l'Institut international de philosophie et l'un des philosophes français les plus connus aux États-Unis, où il vit plusieurs mois par an.

Mais ses travaux ont aussi, en France même, leurs défenseurs passionnés. Ses livres, peu nombreux, mais longuement médités, ont presque tous fait événement. Rappelons d'abord Philosophie de la volonté, *dont les deux volumes –* Le Volontaire et l'involontaire *(1950) –* Finitude et culpabilité *(1960) – constituent une véritable somme, constamment rééditée depuis sa parution. Ensuite vient* De l'interprétation *(1965), travail sur la psychanalyse, puis* Le Conflit des interprétations *(1969) et* La Métaphore vive.

Paul Ricœur a traduit, chez Gallimard, les Idées directrices pour une phénoménologie *de Husserl.*

– De vos recherches sur le volontaire et l'involon-
taire à vos travaux sur la psychanalyse, et de ceux-ci à
votre intérêt actuel pour l'épistémologie historique,
quel est le lien qui fait l'unité de votre démarche?

– La succession de mes travaux n'obéit pas à un plan
linéaire : chacun d'eux part des « restes » du travail
précédent. C'est ainsi qu'à la fin de mon travail sur la
volonté je me suis trouvé face à un « résidu » : le
problème de la volonté mauvaise. J'ai donc tenté de
prendre ce résidu en charge dans mon ouvrage sur la
symbolique du mal. Ce dernier travail, à son tour
laissait un résidu : le problème du symbole. Il y a deux
façons, en effet, de parler du mal : soit à travers des
mythes (la souillure originelle, la chute, la culpabilité),
soit à travers la psychanalyse – qui envisage les mêmes
phénomènes dans une perspective pathologique. La
possibilité d'une double lecture de ces symboles s'est
donc présentée à moi : d'un côté, une lecture qui
surélève (celle d'Éliade, par exemple); de l'autre, une
lecture qui réduit et qui abaisse (celle du psychanalyste). D'un côté, une ligne théologico-poético-mythologi-
que; de l'autre, la ligne du soupçon : Feuerbach, Marx,
Nietzsche, Freud. C'est vers le conflit de ces deux
traditions que se déplaça mon intérêt : dès lors, le
problème du mal devenait un cas particulier, le point
aveugle de cette recherche sur le double régime symbolique sous lequel nous vivons : *faire crédit* et *soup-*
çonner.

– Parallèlement, une autre querelle vous occupait :
celle du structuralisme...

– En effet, le structuralisme m'apparaissait comme
une tentative pour régler par une combinatoire de
signes le problème de l'imagination créatrice – dont
une lecture complètement différente me semblait possible. Malheureusement, n'étant pas hégélien, je ne
voyais pas le moyen de surmonter ce conflit. C'est pour
sortir de cette impasse que j'ai entrepris une théorie du
poétique – qu'expose *La Métaphore vive* – puis mon
travail actuel sur le récit, très lié au précédent.

– Pourquoi donner une telle importance à cette « figure de style » qu'est la métaphore?

– Ce qui m'a attaché à cette question, c'est que je pouvais reprendre le problème du symbole avec des instruments plus adaptés, du fait qu'une théorie des tropes (des figures de style) s'est constituée depuis des siècles, à travers la rhétorique et la poétique. Mais, tandis que la rhétorique pense que les tropes ne servent qu'à plaire, qu'ils ont une fonction purement décorative, il m'est apparu que la métaphore était un phénomène beaucoup plus important : quelque chose comme une déviance créatrice du langage. Il n'y a pas de dictionnaire des métaphores. On ne peut pas traduire une métaphore, on ne peut pas la dire autrement. Ce qui fait métaphore, c'est l'apparentement surprenant de mots étrangers : par cette « figure de style », le langage est conduit à une sorte de torsion qui lui fait dire plus qu'il ne dit d'ordinaire.

« Mais, en signifiant plus, la métaphore révèle des aspects de notre expérience qui ne demandaient qu'à être dits et qui ne pouvaient l'être, faute de trouver leur expression appropriée dans le langage quotidien. La fonction de la métaphore est donc de faire venir au langage des aspects de notre manière de vivre, d'habiter le monde, d'avoir commerce avec les êtres – qui resteraient muets sans elle, sans cette faculté singulière qu'a le langage d'aller au-delà de lui-même. Donc, loin d'être simplement ornementale, comme le croyait la rhétorique, la métaphore est un détecteur d'expériences rares. »

– Cette conception de la métaphore nous renvoie, en fait, à une théorie générale de l'imagination.

– Oui. La notion d'où est parti tout mon travail actuel est la notion d'imagination productrice au sens de Kant, c'est-à-dire la capacité de faire travailler ensemble deux significations usuellement étrangères l'une à l'autre, autrement dit, d'apercevoir leur similitude, d'en avoir *l'intuition*. Kant est le premier philosophe à avoir rompu avec la tradition qui faisait de l'image le représentant d'une chose absente : cette fonction de l'image n'est pour lui que la fonction *reproductrice,* la plus pauvre. Heureusement, il en existe une autre, l'imagination véritablement *productrice,* qui est la source de toutes les synthèses nouvelles (or les métaphores sont des synthèses nouvelles).

« Je devais donc remonter du problème des tropes à celui de la faculté qui les produit, qui " configure " le langage. Le propre de l'imagination, c'est de schématiser des relations nouvelles. Ou encore, comme le dit Bachelard : l'image n'est pas une perception mourante, mais un langage naissant. C'est dans cette région intermédiaire entre la rationalité et l'expérience que se situe la créativité.

« Remarquons en passant que le problème de la créativité est un piège philosophique. Il est à la fois facile et difficile d'en parler. Ne tombons pas dans le culte de la créativité, qui est si à la mode aujourd'hui. Loin d'être une question simple, c'est un problème retors, un réduit bien caché, " un art caché dans les profondeurs de la nature ", comme disait encore Kant. On ne s'y engage pas sans risque. Mais si, de la créativité pure, on ne peut rien dire ou presque, la créativité réglée, elle, est plus abordable : la métaphore en est un bon exemple, puisque le chemin est balisé, ici, par les règles de la rhétorique classique. »

– *Quels rapports y a-t-il entre cette façon de concevoir l'imagination et votre théorie du récit ou – pour le dire plus largement – de la fonction narrative?*
– Le problème du récit nous engage sur une voie tout à fait parallèle. Pourquoi? Parce que l'imagination productrice s'exerce dans la création d'*intrigues,* comme dans celle de métaphores. Raconter, fabriquer une intrigue, c'est aussi un acte synthétique. Qu'est-ce qu'une intrigue, sinon le schème qui permet de composer ensemble des circonstances, des intentions, des motifs, des conséquences non voulues, des rencontres, des adversités, des secours, la réussite, l'échec, le bonheur, l'infortune...? Tout cela que nous égrenons par

des mots séparés, l'intrigue en fait un récit synthétique où chaque chose retrouve sa place. Bref, c'est « un agencement d'incidents en un système », comme le définissait déjà Aristote, c'est-à-dire une manière de donner forme à l'expérience humaine (qui est toujours décousue) ou, pour reprendre le mot que j'utilisais tout à l'heure, de la « configurer ».

« Voilà donc un autre usage de l'imagination productrice, comparable à la métaphore. A partir de là, on peut voir que toute culture est constituée de *manières de raconter*. La tragédie grecque, les récits hébraïques, les épopées germaniques, le roman depuis le XVIIIᵉ siècle ne sont que diverses manières de raconter. L'art de raconter n'est donc, si l'on veut, que l'histoire de notre imaginaire (de notre imaginaire configurant). Bien faire les métaphores, disions-nous, c'est bien voir les similitudes. J'ajouterai que bien faire les intrigues, c'est être capable de composer ensemble des intentions, des causes et des hasards... »

— Ne pourrait-on, de la métaphore et de l'intrigue, donner une explication plus simple en termes de combinatoire? N'est-il pas plus commode de les rattacher à une « logique des possibles narratifs » qui fonctionnerait toute seule?

— Je crois qu'il y a toujours plus, dans la production narrative, que dans ce que les codes parviennent à en maîtriser et que les codes eux-mêmes ne sont qu'une réécriture de ce qui a déjà été produit dans une tradition vivante. Ce sont les schèmes – au sens kantien – qui engendrent les catégories, et non l'inverse. Kant le savait bien, qui écrivait déjà, dans sa *Critique de la faculté de juger*, que la création d'œuvres contraint à « penser plus ». Il y a toujours, en effet, un excès de l'imaginaire sur la logique. La métaphore elle-même n'est qu'un excès par rapport au langage constitué...

— Qu'entendez-vous exactement par « tradition vivante »?

— La tradition n'est pas un dépôt mort, un boulet

qu'on traînerait derrière soi. Elle n'est pas la transmission mécanique de modèles fixés une fois pour toutes – même si une partie des contes populaires semble répéter indéfiniment les mêmes structures. Il est évident que ces contes forment une matière de choix pour les structuralistes, puisque les structures générales y sont bien fixées et que les œuvres singulières n'en constituent que des variantes. C'est ainsi que Propp a pu montrer que tous les contes russes n'étaient que des variantes *du* conte russe... Mais nous sommes là dans un cas extrême.

« A l'autre extrémité, nous avons la culture systématique de la déviance. C'est elle qu'exploite le roman moderne. Aujourd'hui tout roman est l'anti-roman, il tente de s'opposer aux romans antérieurs. L'*Ulysse* de Joyce illustre bien cette tendance : tous les modèles classiques de récit, de caractérisation psychologique, d'identification du héros, y sont brisés. Mais même dans ce cas extrême, on peut encore reconnaître le travail de la tradition.

« En effet, le lecteur que souhaite le romancier moderne a été formé dans la tradition du roman classique. Cette tradition crée, chez le lecteur, des attentes qui sont ensuite frustrées... L'artiste joue ainsi avec nos attentes, nos frustrations, le plaisir pervers que nous prenons à être trompés...

« Mais, entre ces deux cas extrêmes, il y a tout un spectre. En gros, le régime naturel de la tradition, c'est de transmettre en engendrant du nouveau, en réinterprétant. C'est le jeu de ce que Malraux appelait " la déformation réglée ". C'est sur ce jeu qu'il faut se fonder, non sur les cas extrêmes, si l'on entend bâtir une théorie de la narrativité. »

– *Justement, nous pourrions en venir aux rapports entre les deux grandes façons de raconter : le récit historique et le récit de fiction. Qu'est-ce qui les distingue et qu'est-ce qui les apparente?*

– S'agissant de l'unité du genre narratif – genre qui couvre à la fois l'histoire des historiens et le récit fictif,

– il y a deux points critiques. Le premier s'articule autour de la question de savoir si l'histoire est encore narrative. Les historiens modernes, depuis Marc Bloch et l'École des Annales, ne racontent plus. Leur critique de « l'histoire événementielle » semble aller à contre-sens de l'assimilation « histoire = narrativité ». Mon travail consiste donc à explorer les liens qui, à mon sens, ne peuvent pas être rompus, entre l'historiographie et le récit. Je pense que si l'histoire rompait complètement avec le récit, elle deviendrait sociologie et cesserait d'être histoire; le temps cesserait d'être son enjeu; ce que les hommes font et souffrent échapperait à son regard.

« Certes, le lien est devenu très indirect. Il n'est pas question d'en revenir à l'histoire des batailles. Mais le problème épistémologique majeur, pour l'historien, c'est la nature de ce lien indirect. Naturellement, le travail de l'histoire scientifique consiste à construire des artefacts légitimes, ce que Max Weber appelait des " types idéaux " : tendance, crise, développement, etc., dans lesquels on ne perçoit plus l'action des hommes. Il n'en reste pas moins que la tâche d'une réflexion philosophique consiste à montrer que même cette histoire abstraite renvoie indirectement, par toute une série de relais dissimulés ou oubliés, à ce que les hommes font et souffrent réellement.

« En fait, on pourrait sans doute dire que l'histoire ne construit ses objets qu'à la faveur d'un *oubli concerté* de ces relais, et de leur engagement dans l'action concrète. Il existe d'ailleurs un de ces relais qui n'est pas tout à fait oublié : c'est notre appartenance à des communautés (nation, classe sociale...) qui ne sont pas encore de purs artefacts. C'est ce lien associatif, cette appartenance participante (au prolétariat, à la France, ...) qui sert de lien entre le niveau événementiel et le niveau des structures. C'est sur ces entités d'apparte-nance que sont construits tous les autres artefacts. Et l'on voit bien par là, même si c'est de façon indirecte, que l'intentionnalité historique reste de viser ce que les hommes font et souffrent. »

– Autrement dit, l'objet de l'histoire consiste à construire des artefacts et l'historien peut se reposer sur ces objets, tandis que le philosophe, lui, doit chercher à repérer, sous ces objets construits, les expériences d'appartenance qui relient l'histoire à la réalité?

– Exactement. Je suis d'ailleurs très proche, ici, de ce que dit Paul Veyne. Pour lui, l'histoire n'est qu'un « récit vrai ». Non une science, mais une discipline « sublunaire » au sens d'Aristote. C'est-à-dire qu'elle relève d'une logique du probable, non d'une logique du nécessaire.

– Vous êtes également proche de l'interprétation que Husserl et les phénoménologues proposaient de l'histoire...

– En effet. De même que Husserl – le Husserl de la *Krisis* – cherchait l'enracinement de la physique dans le monde de la vie (*Lebenswelt*), de même je crois qu'il y a une racine narrative de l'histoire la moins narrative. Tous nos apprentissages narratifs commencent avec le récit de fiction : or ce sont ces mêmes apprentissages que nous utilisons pour construire des récits vrais. La mise en intrigue est le noyau commun au récit de fiction et au récit historique, mais alors que celui-là montre ses ressorts dramatiques, celui-ci les enfouit derrière la construction d'objets abstraits.

« Je pense donc que l'histoire, même si elle rompt avec le mythe, continue d'entretenir des liens avec le récit mythique. J'ai été très frappé, à cet égard, par l'opposition entre Fernand Braudel et Lévi-Strauss. Le rêve de Lévi-Strauss est d'arriver à une logique derrière les structures, d'atteindre des matrices intemporelles, bref d'abolir le temps, alors que l'historien, même l'historien le plus épris de structures, s'intéressera d'abord à leur évolution, à leur dissolution... »

– Vous avez annoncé deux points critiques. Où se situe le second?

– Il s'agit de la différence entre histoire vraie et

histoire fictive. Non seulement l'histoire diffère du récit en ceci qu'elle refuse la narrativité (encore que ce refus, je viens de le dire, ne soit jamais absolu), mais, en plus, elle a la prétention de dire ce qui est réellement advenu. Or ce qui est réellement arrivé est à jamais perdu : par là même l'historien se sent l'héritier d'une dette. Il a pour tâche de restituer l'absent. C'est ce qui fait que l'histoire diffère une seconde fois de la fiction...

« Mais là non plus il n'y a jamais coupure complète. Il y a toujours de la fiction dans l'histoire, comme il y a toujours une sorte de vérité dans la fiction. L'histoire est plus fictive que ne le croient les positivistes : elle n'est jamais la reconstruction pure de l'événement, elle n'est – dans le meilleur des cas – qu'une reconstruction fictive gouvernée par un événement introuvable. Et, inversement, derrière le récit de fiction, il y a toujours une expérience vraie qui aspire à être racontée, qui crie pour être entendue, mais à un niveau si profond qu'on ne la voit pas...

« L'enjeu de cette réflexion croisée, au fond, c'est la question du temps. »

– *Je vous la pose : qu'est-ce que le temps?*...
– Je viens d'y répondre : seule la double articulation de la fiction et de l'histoire porte au langage notre expérience temporelle. La fiction aussi dit vrai, mais autrement que l'histoire. Bref, il y a complémentarité entre fiction et histoire, et cette complémentarité est nécessaire pour penser le temps humain... »

Christian Delacampagne,
1er février 1981.

Paul Ricœur est né en 1913.
Doyen honoraire de l'université Paris-X-Nanterre.
Président de l'Institut international de philosophie.

Ouvrages

Gabriel Marcel et Karl Jaspers, Temps présent, 1948.
Philosophie de la volonté : t. 1, *Le Volontaire et l'involontaire*,
  Montaigne, 1949-1950.
Edmund Husserl – Idées directrices pour une phénoménologie,
  Gallimard, 1952.
Histoire et vérité, Seuil, 1955.
Platon et Aristote, CDU et SEDES réunis, 1962.
Finitude et culpabilité, Aubier-Montaine, 1963; t. 1 : *L'Homme
  faillible*; t. 2 : *La Symbolique du mal.*
De l'interprétation, essai sur Freud, Seuil, 1965.
Le Conflit des interprétations – Essais d'herméneutique, Seuil,
  1969.
La Métaphore vive, Seuil, 1975.
La Sémantique à l'action, Seuil, 1978.
Temps et récits, t. 1, Seuil, 1983.

Clément Rosset

« Ce qui m'intéresse, c'est la faculté qu'a l'homme de dire oui aux inconvénients d'exister. »

Le gai savoir philosophique de Clément Rosset est une promenade à travers des sites hétérogènes. Il aime mêler Lucrèce, Tintin et Milou, Nietzsche, la musique contemporaine ou la publicité. Ses pensées se défient des sens uniques, univoques, de toutes les projections anthropomorphiques. Pour cet auteur, l'insensé du réel est moins une absence de sens que la présence active de multiplicités. Car les sens grouillent partout, comme la vie qu'on découvre en retournant les pierres.

Sans médiation aucune, Rosset fait le pari philosophique d'aimer le monde. Pour cet iconoclaste à l'humour doux, le réel, c'est ce qui n'a pas de double, et il ferraille contre toutes les formes d'arrière-monde.

– La philosophie contemporaine se révolte contre Hegel, contre toutes les philosophies de l'histoire. Mais vous avancez que ces attaques restent insuffisantes, dans la mesure où elles ne proposent pas de bannir le sens lui-même.

– Je ne suis pas révolté, je pense que la philosophie française contemporaine, tout en jouant une partie contre Hegel, reste marquée par lui. Pensez à Lacan, dont l'héritage hégélien est évident, dans la mesure où il est tributaire de la question du sens. Certes, on ne prétend plus aujourd'hui chercher le sens dans l'histoire, mais on reste dans une recherche toujours un peu historique. Les philosophes contemporains sont encore concernés par l'action. Tel qui proclamait que l'histoire n'avait pas de signification, s'est soudain senti tout à fait sensibilisé par mai 1968.

– Vous prenez en compte des philosophes écartés, écrasés, comme Lucrèce. Vous tentez d'en faire une lecture matérialiste radicale.

– Les philosophes du non-sens comme Lucrèce – mais aussi comme Pascal ou Nietzsche – ont toujours été marginaux. Je crois d'ailleurs qu'il en sera toujours ainsi pour les philosophies inactuelles. Lucrèce construit un matérialisme radical dans la mesure où – à la différence de bien d'autres philosophes – il n'essaie pas de dégager un destin, un processus, un progrès. Le matérialisme moderne, dans ses formes historiques ou dialectiques, reste attaché à l'avènement d'une vérité, d'un bien, d'un progrès. Tout cela est étranger à Lucrèce.

– Lucrèce a été un peu confisqué par l'école laïque de la IIIe République. Il apparaît encore à beaucoup comme une sorte d'instituteur qui expliquerait les phénomènes de la nature.

– Il faut s'opposer énergiquement à cette lecture. C'est un philosophe bouleversant. S'il n'y a pas de surnaturel, c'est qu'il n'y a pas de naturel; et si rien n'est extraordinaire, c'est parce que rien ne peut être

dit « ordinaire ». Son monde n'est ni morne ni désen-
chanté, bien au contraire. Dans cet univers sans nature,
donc sans possibilité de surnature, tout est constitution-
nellement exceptionnel. S'il nie les centaures et les
chimères, c'est que l'exceptionnel n'a pas besoin de la
fausse puissance de l'extraordinaire.

*– A sa suite, vous vous en prenez aussi à la notion de
nature, dont on a – à tort – toujours l'impression de
savoir ce que c'est quand on ne s'interroge pas.*
– C'est, en effet, une chose à partir de laquelle on
pense, mais qu'on est bien en peine de penser. L'idée de
nature est confuse; par là, elle occupe une place vide,
mais centrale, dans la plupart des systèmes philosophiques ou idéologiques. Un penseur de l'ontologie comme
Heidegger le reconnaît quand il montre combien l'idée
de nature, dans son ambiguïté même, est une notion
originelle pour la métaphysique. On fait de la métaphysique parce qu'on a d'abord une représentation de
la physique, d'un ordre, d'un sens qui renvoie à la
nature. Or quel est-il? On ne le sait pas, bien sûr, mais
on suppose toujours un ordre, une loi. Au XVIIIe siècle,
un matérialiste comme Diderot en fait une clé de toute
sa pensée. En un sens ce siècle n'est pas vraiment
matérialiste, même si des gens comme d'Holbach ou
La Mettrie vont très loin.

*– Mettre en question l'idée de nature, c'est se
donner les moyens de lire autrement Rousseau. Si l'on
ne sait pas ce qu'est la nature, il devient difficile de la
dire bonne ou mauvaise.*
– Oui. D'ailleurs y a-t-il un partage possible entre le
naturel et l'artificiel? Cette question, bien connue des
publicitaires, est aujourd'hui relancée par des gens
comme François Jacob ou Jacques Monod.

*– Pourtant Spinoza fait exception. Il emploie lui le
mot de nature sans être un idéologue de la nature.*
– Spinoza renonce de fait à cette idée. Il abandonne
tout ce que charriait la *phusis* grecque ou la *natura*

romaine. Spinoza sait, génialement, se passer de tout contenu naturaliste. Son « Dieu ou la nature » nous emporte vers des rivages complètement autres. La nature, pour Spinoza, c'est, tout simplement, la réalité sans adjonction d'une idée d'ordre ou de loi, ces notions anthropomorphistes. Sa force extraordinaire, c'est d'avoir perçu la réalité sans l'écran interprétateur de l'idée de nature. De fait, il n'y a pas de nature des choses ou plutôt la nature des choses ce serait d'être sans nature. Nietzsche, aussi, avance que la nature est la réalité privée de toute idéologie. Ces philosophes m'intéressent en tant qu'ils sont des philosophes du réel.

— Les grands philosophes classiques prétendaient toujours accéder au réel, mais après avoir dévalué la perception du sens commun. Pour eux, il fallait accomplir des détours, des odyssées. Il fallait cheminer longtemps avant de retourner au monde. Chez vous l'option est différente. Mais l'on pourrait vous demander : « Qui vous a mis au courant de ce qu'est le réel? »

— Le réel, je ne puis le décrire, sauf à travers des approximations. Mais on peut, sans doute, le concevoir par différence avec la plupart des systèmes philosophiques qui le pensent comme insuffisant, comme manquant de réalité. J'essaie de concevoir un réel véritablement riche et désirable, qui ne serait pas étayé par l'hypothèse d'une autre instance, religieuse, ontologique ou historique. Le réel auquel je pense se suffit à lui-même. Depuis le romantisme, la plupart des philosophes s'accordent — au contraire — pour dire que l'objet du désir c'est l'autre. Déjà sainte Thérèse d'Avila décrivait le désirable comme absent...

— Pourtant Deleuze et Guattari ont voulu faire de l'«Anti-Œdipe» une machine contre le manque.

— Dans la mesure où Deleuze se réfère à Nietzsche et à Spinoza, nous sommes, en un sens, assez proches quant à notre critique du désir comme manque. Cependant son approbation du réel me paraît limitée par la partie critique de son ouvrage. En caricaturant une pensée subtile, j'ai le sentiment que son affirmation prend parfois le ton d'une critique des non-affirmateurs. En dernière analyse son approbation inconditionnelle du réel me paraît oblitérée par le dépistage des fausses valeurs, des réactifs, des versants sombres du réel.

— *Mais cette critique du réactif n'est-elle pas la condition de possibilité d'une politique?*
— Vous avez peut-être raison, mais l'investissement dans la politique m'est étranger. J'ai l'audace de penser qu'il en était de même pour Lucrèce et pour Nietzsche, quoi qu'en ai dit Klossowski. On peut, bien sûr, m'objecter les derniers mois de 1888; mais à ce moment Nietzsche était dans un état de semi-lucidité. Il était en fait proche du délire lorsqu'il concevait son plan de réforme européen. Ces textes — malgré ses détracteurs ou ses admirateurs — ne me semblent pas être du grand Nietzsche. Bref, la politique ne m'intéresse guère.

— *Pourtant le* Traité théologico-politique *de Spinoza affirme — contre Hobbes — qu'il doit être accordé à chacun de penser ce qu'il veut et de dire ce qu'il pense.*
— Souvent Spinoza, que j'aime tant, célèbre aussi l'artifice social et le Prince. Mais j'admets volontiers qu'on pourrait en faire une autre lecture. Quoi qu'il en soit, reconnaissez que l'intérêt du peuple a le dos large. Hobbes, aussi, prétend que le Prince a en vue le bien de la majorité de ses sujets. Et que n'a-t-on pas fait ou dit au nom du bien?

— *Revenons à votre approbation inconditionnelle du réel. Comment échapper au fait que tout ne vaut pas tout, qu'il y a des perspectives grandioses et des perspectives basses?*
— Je sais que l'approbation totale est souvent mise à

rude épreuve par l'environnement socio-politique. Toutefois, il y a des sources d'insatisfaction qui me semblent plus fortes que ce type d'inconvénient. Pensez à l'insignifiance, à la maladie ou à l'éphémère. Car une fois éliminés l'imbécile et le bourreau, même si l'on imagine une politique libertaire totale, on reste pourtant confronté à des problèmes qui me semblent relever d'un autre registre.

– *Certes, mais Auschwitz ou le goulag sont des registres pesants.*

– Ce qui m'intéresse, c'est la faculté qu'a l'homme de dire oui aux inconvénients d'exister qui, à 95 %, ne sont pas le fait des autres. Je pense que la source principale des névroses ne relève pas seulement de l'oppression socio-politique, même si je reconnais – comme l'a montré l'anti-psychiatrie – que la famille joue un rôle plutôt néfaste. Mais c'est vraiment l'inconvénient d'exister dont parle Cioran qui m'importe. Bien sûr, Auschwitz est terrible, mais, en un sens, il y a des solutions. On peut toujours rêver qu'un jour l'oppression cessera. Quant au malheur constitutif, qui est, lui, sans remède, je crois qu'une philosophie de l'approbation doit le prendre en compte si elle veut véritablement parler de la joie d'exister.

– *Vous aimez l'expression de « joie », ce terme spinoziste. Vous soulignez également que l'amour n'est concevable que s'il existe aussi un amour de soi.*

– Je ne pense évidemment pas au narcissisme. Mais l'amour de l'existence est le soleil dont l'amour de l'autre est un satellite. L'amour de la vie est le rayonnement d'où proviennent toutes les autres formes de l'amour. C'est déjà ce que proclamaient les Upanishad védiques, cette philosophie de l'affirmation antérieure au bouddhisme. Spinoza dit très bien que l'amour est la joie accompagnée de l'idée d'une cause extérieure. L'allégresse participe aussi de l'amour de soi. Pascal également soulignait le fait que « J'ai mon beau temps et mes brouillards à l'intérieur de moi ».

182

– *Leibniz est aussi un philosophe du bonheur, sans ressentiment. Il pratique une sorte de joie rationnelle qui donne son mode d'emploi.*

– En effet, et l'on pourrait sans doute rapprocher Leibniz de Bach; tous deux donnent les raisons d'être de la joie. Leibniz, d'ailleurs, parle beaucoup de l'harmonie esthétique. Il prend comme exemple de l'harmonie intellectuelle l'harmonie musicale. J'aime qu'un philosophe ait de l'oreille.

– *Les objets esthétiques sont pour vous du côté de l'affirmation. A la différence des philosophes qui construiraient des esthétiques en bâtissant un ordre, un bon usage, des œuvres d'art, vous faites des objets d'art des moyens d'appréhension du réel.*

– Pour moi, l'approbation est totale, elle n'est pas seulement esthétique, comme chez Proust ou chez Baudelaire. Je voudrais faire de l'art une voie d'accès à l'approbation. Chez Hegel, l'art a eu ses dates, ses places, il n'est qu'une manifestation particulière du concept. D'ailleurs, chez les grands idéalistes allemands du XIXe siècle, l'art a ses cases; il illustre le vrai, mais ne le révèle pas.

– *Chez vous, l'art et la philosophie font une grande place au hasard, ce non-nécessaire, ce lieu d'un château où l'on joue aux dés. Vous en faites une sorte de voiture-balai qui emporterait le destin, la prédestination, la providence.*

– Le hasard n'est pas un principe, c'est plutôt un antiprincipe. C'est une idée innocente; on ne peut rien faire au nom du hasard, alors que les notions d'histoire, de nécessité ont les mains pleines de sang. L'aléatoire est également une des dimensions caractéristiques de l'art contemporain, et cela me réjouit beaucoup. Pensez à Bério, à Xenakis ou à Stockhausen. En peinture, on pourrait sans doute avancer que Pollock fait défiler des images et qu'il arrête sa perception quand il se trouve devant une bonne toile. Le hasard intervient dans l'art moderne, il est pris comme point de départ, comme richesse du monde et non plus comme repoussoir. Pour toute une part de la musique contemporaine, on peut constater que le hasard a remplacé l'inspiration.

– *Vos promenades vous conduisent souvent au cinéma. Celui-ci, selon vous, relèverait de deux grands ordres. D'un côté, le fantastique jouerait des toutes petites différences (les extra-terrestres qui s'approprient l'apparence humaine sont beaucoup plus troublants que les gros monstres). D'un autre côté, il existerait un cinéma qui ne prétendrait pas représenter le réel mais offrir – selon l'expression de Godard – deux ou trois choses de la réalité.*

– La déréalisation effectuée par le cinéma fantastique fait apparaître le réel comme étrange. On voit très bien cela dans *The Invasion of the Body Snatchers* de Don Siegel. Légèrement déplacé, le réel est encore plus fort. Mais on peut aussi – dans une autre perspective – vous envoyer le réel à la figure, sans prendre les gants de la représentation convenable du réel hollywoodien. Godard avait pour programme de faire rendre gorge à la réalité, en ne présentant pas des images justes, mais « juste des images ». Ce que j'appelle l'objet singulier serait du côté du « juste une image »; le fantasme de l'image juste serait lui du côté du double, de l'illusion selon laquelle existerait la réalité que l'image prétend évoquer.

« De fait, le cinéma m'intéresse, car il montre le réel comme on ne l'a jamais vu. En un sens, le cinéma n'est pas le septième art, mais un art spécifique. Tellement proche du réel, l'autre scène du cinéma nous fait voir un autre qui est presque le même. Dans une salle, on ne quitte pas le monde, mais on est quasiment dans un autre univers qui est pourtant dans notre espace-temps. Il y a une magie proprement réelle de cette promenade sans frais. »

Christian DESCAMPS,
12 décembre 1982.

Clément Rosset est né en 1939.
Maître-assistant à l'université de Nice.

Ouvrages

La Philosophie tragique, PUF, 1961.
Le Monde et ses remèdes, PUF, 1964.
Lettre sur les chimpanzés, Gallimard, 1965.
Schopenhauer, PUF, 1968.
Esthétique chez Schopenhauer, PUF, 1969.
La logique du pire, PUF, 1971.
L'Antinature, PUF, 1973.
Le Réel et son double, Gallimard, 1976.
Le Réel, traité de l'idiotie, Minuit, 1977.
L'Objet singulier, Minuit, 1980.
La Force majeure, Minuit, 1983.

Paul Scheurer

> « À l'image royale de la science, je voudrais substituer l'image républicaine de théories égales en droit. »

Professeur de physique théorique et de philosophie des sciences à l'université de Nimègue, aux Pays-Bas, Paul Scheurer décrit la science contemporaine comme processus d'invention, de création. Au cours de l'année 1981-1982, il a été l'hôte du Collège de France pour une série de conférences : de l'homme, de la mesure et du temps. Épistémologue, Scheurer a beaucoup fréquenté Bachelard, mais aussi Popper, Kuhn ou Lakatos. Pour lui, la croissance de la science est faite d'évolutions autant que de révolutions; et au lieu d'opposer ces deux notions il propose une nouvelle approche, loin d'une science normative qui prétendrait nous dicter ce que doit être le réel. En s'appuyant sur l'imaginaire qu'on trouve à la base de toute entreprise théorique, il se propose de nous apprendre à dresser d'autres cartes du savoir.

– *Vous avez fait de la physique théorique le noyau dur de vos recherches. Pourquoi avoir choisi cette science-là?*

– Dans la physique théorique, il y a la notion de *theoria*; on rejoint là la contemplation chère à Aristote. Mon maître Stueckelberg m'a appris que la physique n'était pas seulement une science mais également un instrument de pensée. A l'université, j'avais suivi des études classiques. A Genève, on étudiait la philosophie et la linguistique de Saussure. Mais en lisant Platon, je me rendais compte que le raisonnement philosophique allait de pair avec la connaissance scientifique. Ainsi, la réflexion chez Platon renvoie à la réflexion des miroirs.

– *Vers les années 1955, vous avez le désir de connaître l'état de la science de votre époque.*

– Je me suis plongé dans l'étude des mathématiques modernes et dans celle de la physique. Aujourd'hui, plutôt que de lire un roman policier, je prends plaisir à me plonger dans un bon bouquin de mathématiques, sans trop m'arrêter à toutes les démonstrations des théorèmes. Quant à la physique, nous avions écrit, avec Stueckelberg, une Thermocinétique. Nous ne considérions pas la thermodynamique du point de vue des forces, mais du point de vue de la cinétique, des équations du mouvement.

– *Votre étude de l'histoire de la science montre que tout pouvoir standardise. Quand une formule est donnée, la communauté scientifique a tendance à la reprendre. Beaucoup de savants, même parmi les meilleurs, travailleraient ainsi avec des formules qu'ils répéteraient quasi magiquement.*

– Il y a une prégnance du dogme. Soit le dogme des sept planètes. On sait, depuis 1781, qu'il y a une huitième planète. Jusqu'alors, y compris chez Newton, on croyait à une astronomie faite par l'œil. On raisonnait sur sept corps errants, dont le Soleil et la Lune. On retrouvait là une correspondance entre les planètes et leurs vertus astrologiques. Pensez aux sept métaux, aux sept péchés capitaux, aux sept pierres précieuses. En fait, on gérait une première rationalité babylonienne qui avait identifié la planète Vénus comme un seul astre. Mais, depuis 1801, la science ne cesse de découvrir des planètes. Ce dogme est maintenant rompu! Toute la population du ciel change. On a maintenant des galaxies, des amas d'étoiles, des nébuleuses, des pulsars, des quasars, des trous noirs, des fontaines blanches... Le ciel ne cesse de se peupler.

« Sortir des dogmes, c'est inventer de nouveaux langages. Gérald Holton montre bien comment Einstein, qui raisonnait plutôt par images, a conceptualisé dans un langage mathématique. Il parle d'invention libre des concepts. Les chercheurs s'introduisent dans les fêlures, dans les anomalies, dans les fissures du savoir constitué. Il serait facile de trouver des exemples contemporains. En physique, jusqu'à tout récemment, on parlait des quatre forces fondamentales. Ce dogme est maintenant battu en brèche puisque l'on parle de force électro-faible. »

— Donc, les créateurs seraient libres, mais le savoir est tellement cloisonné qu'on en arriverait à reproduire des découvertes déjà effectuées. Par surabondance, l'information scientifique se neutraliserait parfois.

— Si plus de gens lisaient les travaux originaux, on serait sans doute plus proches des vraies brisures de dogmes. Ainsi, le discours de Copernic est nouveau comme discours, mais il n'est pas nouveau comme langage; il utilise les mêmes mathématiques que Ptolémée. De fait, c'est Kepler qui va changer le langage sans changer le discours. Enfin, Newton va modifier le discours et le langage. Il passera, lui, de la géométrie au calcul différentiel.

— Mais, jusqu'à Laplace, les thèses de Copernic ne sont considérées que comme des hypothèses.

— Oui, pendant longtemps, le concept paraît tellement théorique qu'il n'est pas accepté avec un statut ontologique.

– *Ainsi les savants répéteraient souvent un même discours en introduisant seulement des nuances.*

– L'idéal éthique de la communauté scientifique, c'est la communication. Mais celle-ci est nettement insuffisante. Quand on lit les publications, on doit aussi tenir compte de la façon dont sont compris les articles. On parle souvent d'une théorie comme la relativité restreinte; mais elle n'est pas toujours comprise, ni mise en pratique de la même façon. Ainsi, l'équation de Dirac a été retrouvée; et si le spin a été découvert physiquement en 1925, il avait, dès 1913, été sorti comme un cas mathématique possible par Cartan. Souvent, des chercheurs retrouvent dans leur discipline ce que d'autres savants avaient trouvé dans la leur.

– *Pourrait-on imaginer que les diverses sciences communiquent mieux?*

– D'abord, il faut reconnaître la nécessité de la spécialisation pour obtenir un résultat. Si Newton pratiquait encore un style littéraire – il racontait qu'il avait acheté une lentille, bâché sa chambre, – on ne peut plus rédiger comme cela aujourd'hui. Galilée se plaignait déjà qu'on lui reprochât ses excursus. Comment retrouver cette fraîcheur? Il faudrait sans doute mener une double vie : celle du spécialiste qui fabrique une théorie, mais aussi celle d'un soldat qui s'engage dans la bataille contre l'inconnu.

– *Popper – que vous citez souvent – avance qu'on peut montrer qu'une théorie est fausse, mais qu'on ne peut pas démontrer qu'elle est vraie.*

– C'est un acquis très important! Si l'on se réfère au projet de statut de la Royal Society du XVIIᵉ siècle, juste après la révolution anglaise, on voit que le but de cette société, c'est de s'occuper de matières scientifiques. Elle exclut les questions de la destinée, de la métaphysique, de la grammaire ou de la logique. Cette idée de la science objective – hors des valeurs et des normes sociales – veut, par-là, échapper à des querelles infinies. Toutefois, on a transporté le vrai dans la science; et celui qui se trompe commet un péché.

« Interrogez des scientifiques contemporains, vous verrez qu'aujourd'hui encore on n'admet ni l'erreur ni l'errance. Or nous vivons dans une nouvelle époque où la science devient création; et le rapport à la vérité devrait en être profondément affecté... »

– *Pourtant, nous rencontrons la question de la pertinence. On sait, aujourd'hui, que si je bouge le petit doigt je n'affecte pas l'ensemble de l'univers.*

– Oui, mais l'on doit aussi essayer de comprendre comment Albert le Grand pensait que si je levais le doigt je modifiais le centre d'inertie. Il y avait là une généralisation d'un concept donné.

– *Kuhn insiste sur les révolutions dans les sciences.*

– Si l'on examine le bouleversement copernicien, on s'aperçoit qu'il change les places entre le Soleil et la Terre. La Lune devient satellite. Mais c'est Kepler qui va décrire, dans son optique, la loi de diffusion du flux lumineux autour d'une source ponctuelle. Pourtant, par dogme, il ne va pas accepter le fait que la force aille se gaspiller sur une sphère. Si je m'intéresse à Kuhn, je voudrais compléter son idée de révolution dans les sciences en la corrigeant à l'aide de la notion d'évolution. L'évolution se fait parfois par sauts; il lui arrive aussi d'être lente. Kuhn insiste, lui, sur les ruptures profondes. Toutefois, une description moniste me semble insuffisante. Et je crois qu'il est impossible de tenir le langage de l'évolution à côté de celui de la révolution.

– *Aristote avançait qu'il n'y avait de science que du général; les scientifiques l'ont suivi. Vous parlez d'un projet d'une science du particulier?*

– Carlo Ginsburg, l'historien italien, parle d'une science des indices. La science parle du général, construit des relations entre les éléments, propose des lois. Une science des traces, de l'unique, rechercherait le particulier en tant que tel. Bien sûr, nous ne pouvons pas nous empêcher de placer l'unique dans un ensemble. Ainsi, un homme, l'univers, sont des objets uniques; ils se trouvent pourtant dans un ensemble d'états historiques. Dès que l'on dit cela, on introduit des relations entre les différents états. Bourbaki parle d'éléments qui appartiennent – ou non – à un ensemble. Mais souvent nous rencontrons des ambiguïtés.

« A partir de là, certains mathématiciens se sont trouvés confrontés à la nécessité d'introduire la notion d'ensemble flou. Cela tient compte du fait qu'il y a une probabilité que des éléments appartiennent ou non à l'ensemble. Certes, cette probabilité elle-même se définit par rapport à une théorie des ensembles. Mais l'on peut – peut-être – envisager d'autres moyens de caractériser qui tiendraient compte de formes aux frontières floues. »

– *La physique, cette investigation théorique, s'articule à des imaginaires de base.*

– On a longtemps fait de l'observation des astres un modèle de régularité qui relevait de la mathématique. Ainsi, au XVIIᵉ siècle, la mécanique classique s'est appliquée à tout. Le Léviathan de Hobbes, c'est le mécanisme de la société. Mais l'on croyait aussi au mécanisme de la psychologie, aux animaux machines... A ce moment, on essaie de tout traiter par la mécanique, par les lois du mouvement.

– *Le XXᵉ siècle, lui, va beaucoup parler de la théorie de la relativité et de la théorie des quanta.*

– Entre 1895 et 1905, on assiste à une éclosion extraordinaire. En 1870, le maître de Planck s'étonne de voir son disciple s'engager dans la physique. Il lui dit : « Vous devriez faire autre chose, nous n'avons plus grand-chose à trouver. Il ne nous reste qu'à raffiner les mesures des constantes. » En 1902, lord Kelvin parle de deux petits nuages à l'horizon, nuages apportés par l'échec de l'expérience de Michelson-Morley, et par ce qui deviendra la théorie des quanta.

– *Même s'il se trompait, il avait un sacré flair! Ces théories ont bouleversé nos versions de l'espace et du temps.*

– En effet, la matière est maintenant une forme de l'énergie. Dans les années trente on assiste à l'annihilation et à la création de particules à partir de radiations. L'énergie peut se transformer en matière, et réciproquement. Malheureusement, cette dernière propriété donnera la bombe atomique; et nous retrouvons ici tous les problèmes de la thanatocratie, selon l'expression de Michel Serres.

– *En 1922, quand Einstein vient en France, on parle beaucoup, dans les salons, de la relativité.*

– Certes, mais à l'époque on pensait qu'il faudrait des dizaines de générations pour extraire l'énergie de la matière. Vingt ans plus tard, on a eu la pile de Fermi! S'il y a une révolution de notre temps, c'est dans doute la rapidité de la mise en pratique des découvertes théoriques.

– *La théorie des quanta, elle, a ruiné notre croyance au continu.*

– Le rayonnement se fait par paquets, ce que dit bien le mot latin de *quantum,* qui marque la quantité. Le comportement des atomes est tout à fait bizarre pour la mécanique classique. Entre 1925 et 1928, quelques physiciens comme Heisenberg, Dirac, Jordan, Pauli ou De Broglie ont élaboré la mécanique quantique. Là aussi, tout est allé très vite.

– *Vous avancez qu'en travaillant le champ des possibles de certaines formules on pourrait ouvrir de nouveaux champs. Votre travail syntaxique fait voir des possibilités de structurations nouvelles entre des théories qu'on croyait contradictoires.*

– Je fais l'hypothèse qu'il est possible de replacer dans un même langage des théories anciennes et des théories révolutionnaires. Ainsi, nous pouvons maintenant placer les révolutions de la relativité et des quanta à côté de la mécanique classique. Il est possible de démontrer que ces théories sont des réponses à des déficiences majeures de la mécanique classique. Celle-ci confondait deux aspects différents du temps : le temps comme paramètre d'évolution et le temps comme coordonnée résiduelle. Si on lève cette ambiguïté, par une formule appropriée on peut inventer un langage plus puissant qui pourra exprimer les théories anciennes de façon différente.

    — *Vous proposez donc le néologisme de « dé-révolution ».*

    — Ce qui est parfois révolutionnaire pour le créateur peut être vu comme évolution dans la diffusion de la société. La notion de « dé-révolution » voudrait sortir d'une vision simpliste, qui décrit comment une théorie régnante se trouve détrônée par un nouveau roi. C'est pourquoi je parle d'objets en tant qu'ils sont formés par une pratique scientifique spécifique.

    « J'emploie aussi la notion de forme pour exprimer la permanence des choses et des phénomènes au sein du flux changeant des événements. A l'image royale de la science, je voudrais substituer l'image de théories égales en droit. Les découvertes ne sont que des réalisations particulières d'un code, d'une structure beaucoup plus générale. L'ancien continue d'être là; il s'agit de devenir républicain en science. »

Christian DESCAMPS,
1ᵉʳ mai 1983.

Paul Scheurer est né en 1931 à Genève.
Professeur de physique théorique et de philosophie des sciences à l'université de Nimègue (Pays-Bas). Traducteur de Gérald Holton.

Ouvrages

Révolutions de la science et permanence du réel, PUF, 1979.
Co-auteur avec E. Stueckelberg de *Thermocinétique phénoménologique galiléenne,* Birkhauser, Bâle, 1974.

Michel Serres

« Pourquoi suis-je philosophe? A cause de Hiroshima. »

Philosophe aux facettes multiples, s'intéressant aussi bien à la science qu'à la peinture, à l'histoire qu'à la littérature, Michel Serres poursuit, à grandes emjambées, une œuvre originale et séduisante. Explorant les régions limitrophes des grands domaines de la pensée, il rêve à une réconciliation des Savoirs, à l'écart des dogmes et des impérialismes théoriques. Il s'interroge aussi sur la place du philosophe face à la politique et à l'histoire.

  *– Vous cherchez – de livre en livre – le « passage »
entre les sciences exactes et les sciences de l'homme; ce
« passage du nord-ouest » que, par métaphore, vous
comparez au labyrinthe de glace qui unit l'Atlantique
au Pacifique. Quel est le vrai sens de cette recherche?*

  – Je crois qu'il n'y a jamais eu de philosophie sans
un cheminement de ce genre. Depuis la plus haute
antiquité, depuis les présocratiques et Platon, on a
toujours cherché à réunir par un passage quelconque
nos idées scientifiques les plus rigoureuses et ce que
nous savons de l'homme. On ne peut y arriver sans un
parcours encyclopédique. La philosophie doit s'ins-
truire des sciences exactes avant de parler des organisations humaines, qui représentent un stade de complexité supérieur. Si l'on coupe ou si l'on néglige le
parcours, on aura, d'un côté, des gens qui pourront
parler du monde avec exactitude, mais qui auront
complètement oublié l'histoire et la culture; de l'autre,
des gens qui feront impertubablement des sciences
humaines en toute ignorance du monde et de ses
changements.

  *– Cette réconciliation des savoirs exige une singu-
lière navigation. Qu'avez-vous trouvé jusqu'à présent?*

  – Que ce passage existait, assurément, mais qu'il
était d'une extrême complexité, difficile et surtout
circonstanciel. Pour passer des sciences exactes aux
sciences humaines, il ne suffit pas d'ouvrir une porte et
de traverser la rue. L'itinéraire est compliqué : une idée
peut vous guider comme un fil d'Ariane et, au bout
d'un moment, se casser net, vous laisser en plan. Il faut
alors revenir et repartir avec un autre fil. Il n'y a pas de
carte.

  *– Ce projet de savoir encyclopédique paraît tout de
même en contradiction avec la spécialisation croissante des savoirs. Chaque scientifique ne couvre plus
qu'un champ minuscule.*

– Oui, bien sûr. La science a conquis son incroyable efficacité grâce à sa spécialisation et parce qu'elle est devenue un métier. En parcellisant les tâches et les recherches, on a pu les rendre professionnelles. La complexité grandissante des problèmes à résoudre exigeait une spécialisation sans cesse plus poussée. Mais la philosophie n'est pas la science. Aristote a dit qu'il y avait une métaphysique, c'est-à-dire une connaissance *après* la physique. Il existe une spécificité de l'acte philosophique. Si la philosophie se divise en spécialités – comme la science, – elle singe la science sans en être une. Ce n'est pas intéressant. Ce n'est pas la peine d'occuper l'espace juste après la science pour se mettre à l'imiter sans avoir ni ses moyens, ni sa précision, ni sa technique. Notre rôle, à nous philosophes, est de voir grand. Pas d'occuper tout l'espace mais de voir grand.

– *Vous courez quand même le risque d'avoir tous les scientifiques sur le dos. Pour la plupart d'entre eux, l'idée même de pluridisciplinarité est impossible.*

– Peut-être bien. Mais, à la vérité, ce ne sont pas vraiment les scientifiques qu'on a sur le dos, c'est l'organisation de la science. C'est très différent. Il y a, d'une part, le savant face à son problème, qu'il essaie de résoudre de toutes les manières, y compris parfois de façon philosophique et aventureuse, et, d'autre part, l'organisation scientifique, divisée en groupes de pression rivaux, en territoires. En ce moment, cette sociologie concurrentielle de la science est en train de prendre le pas sur l'enjeu du savoir lui-même. La science est divisée en écoles, lobbies, sectes, qui s'opposent en se combattant pour prendre le pouvoir, occuper l'espace, être plausibles, obtenir médailles, crédits et postes. C'est un formidable conflit de facultés, comme disait Kant. Ce conflit fait tellement de bruit, cette bataille est si intense que nous sommes littéralement en train d'y perdre la connaissance.

– *Vous voulez dire que* l'objet *même de la connais-sance est oublié dans l'aventure.*

– C'est cela. Sinon oublié, du moins revu et relu avec les lunettes de la bataille. Ce n'est plus un objet, mais un enjeu, ce n'est plus une méthode, mais une stratégie, ce n'est plus une connaissance, c'est un rapport de forces. Si nous continuons comme cela, la science va perdre connaissance, comme on le dit d'un homme, va s'évanouir. On n'a plus désormais de vraie discipline, mais un racket. Chacun veut distribuer une pensée autorisée et cherche des alliés. Bruno Latour a bien décrit ce phénomène. Il analyse comment telle discipline ou telle autre cherche à occuper tout l'espace intellectuel, comme une sorte de conquête, d'envahis-sement militaire... Nous connaissons cela, hélas! en philosophie.

– *J'ai l'impression que ce n'est pas vraiment nou-veau. La volonté de puissance a toujours habité les scientifiques.*

– Certes. Mais, aujourd'hui, il y a davantage de chercheurs vivants que de chercheurs morts. Il y a plus de chercheurs en 1981 dans le monde qu'il n'y en a jamais eu dans toute l'histoire. La science est désor-mais une formidable société, avec un poids social et politique considérable, alors que, à la fin du XVIIIe siècle, elle n'en avait pas du tout. Les querelles de spécialistes ont toujours existé. Au XVIIe, déjà, Leibniz disait que ce genre de bagarres allait ramener la barbarie. Les querelles scientifiques mettent du brouil-lard devant l'objet de la science. En ce moment, je crois simplement que la crise est plus grave, plus menaçante. Contrairement à tout ce que l'on entend, il n'y a objet de savoir que dans la mesure où il n'y a pas d'enjeu de puissance. L'objet n'est ni un enjeu, ni un fétiche, ni une marchandise. L'objet de connaissance est défini par cette triple négation.

– *Ce qu'on trouve dans vos livres, finalement, c'est un éloge de la complexité. Et c'est aussi un procès des idéologies, qui, elles, sont toujours simplificatrices.*

– C'est ça! Les idéologies ont en commun d'être toujours dualistes. Elles définissent le juste et l'injuste, le vrai et le faux, le bien et le mal, etc. Or il n'y a jamais de cas où les choses puissent se résoudre de manière aussi simple. J'ai parfois pris l'exemple de la Lune. Sur Terre, il arrive que nous voyions du côté d'un mur, alors que la source de lumière est de l'autre. C'est parce qu'il y a une atmosphère et que le rayon lumineux se casse, se diffuse, se diffracte de façon compliquée et fait le tour du mur. Sur la Lune, au contraire, où il n'y a pas d'atmosphère, c'est parfaitement clair d'un côté du mur et c'est le noir absolu de l'autre. Les idéologies ressemblent à la Lune – le clair et l'obscur, le vrai et le faux. Si on compare la connaissance à un modèle de vision, je dirai qu'on ne peut *connaître* que dans la complexité de l'atmosphère terrestre.

– *Mais parler de cette complexité-là, n'est-ce pas une autre manière de définir le scepticisme?*

– Non. Il y a une différence entre le scepticisme et le pluralisme. Être pluraliste, cela veut dire que les vérités sont toujours locales, distribuées de façon un peu compliquée dans l'espace. Autrement dit, il y a *toujours* des singularités. L'opposé du pluralisme, c'est de dire qu'une seule vérité est valable pour tout l'espace, qu'elle est universelle. L'idéologie, c'est cela. Cela consiste à dire : quel que soit le problème, vous avez la vérité, je résoudrai tout avec une seule technique, une seule méthode. En réalité, ce que l'on sait des sciences montre qu'il ne peut y avoir de vérités que selon des territoires locaux, des singularités. Si vous changez de système, vous changez de vérité. Le scepticisme, en revanche, consisterait à dire qu'il n'y a pas de vérité du tout. Je ne suis pas sceptique.

– *Dans tous vos textes, pourtant, on voit bien que vous êtes en quête de globalité, d'universalité. Vous n'avez jamais renoncé à cela.*

– Il y a une différence entre un espace homogène, entièrement occupé par une seule vérité, et un espace complexe où tout le travail consiste à passer d'une singularité à l'autre. Mon idée, c'est de parcourir le plus d'espace possible, comme on le fait en mer, en allant d'île en île. C'est cela, l'idée de « voir grand », de trouver les « passages du nord-ouest » entre des savoirs différents. En revanche, avoir tout d'un seul coup, occuper tout l'espace brusquement, non seulement cela ne me paraît pas possible, mais cela correspond à ce que nous enseigne aujourd'hui la sociologie de la science et à ce que faisaient les idéologies dont nous parlions. Au fond, qu'est-ce que cela veut dire un espace universel : un spécialiste cherche à occuper tout le terrain. C'est un impérialisme.

– *Vous faites partie de ces penseurs qui, comme René Girard, écrivent depuis quinze ou vingt ans et n'étaient pas entendus parce qu'ils se heurtaient au monopole de ce que vous appelez les « multinationales de la pensée ». Or, subitement, voilà qu'on les écoute...*

– L'espace est occupé par des groupes de pression qui ont bien réussi. Ce qu'on appelle les « grands courants de la pensée », ce sont de petites pensées locales qui ont cherché à conquérir l'espace, en voulant se présenter comme universelles. Pour ma part, je me suis toujours refusé à ce type d'impérialisme ou d'assujettissement. Lisez Montaigne. J'ai toujours cru qu'il y avait du singulier, des îles, des points de vue irréductibles.

« Je n'ai jamais voulu parler les langues autorisées de l'époque, tenir une sorte de station-service à l'intérieur d'une multinationale intellectuelle, comme d'autres acceptaient d'être pompiste chez tel ou tel. La liberté de pensée, à mon sens, c'est celle d'inventer sa propre philosophie. Ce n'est pas vrai qu'on puisse prétendre libérer quiconque en étant soi-même un esclave. La vraie liberté s'exerce et s'invente tous les jours. Elle consiste à ne parler que sa propre langue, à n'écrire que ce que l'on invente, à ne pas se borner à imiter, à ne pas faire le racket... En France, c'est plus difficile que nulle part ailleurs : tout le savoir est organisé de manière autoritaire. Chez nous, lorsque le prince d'une discipline a une théorie, toute la discipline doit respirer de la même manière. »

— Mais pourquoi sent-on maintenant une espèce de liberté de pensée renouvelée, comme si le béton se fissurait quelque part?

— Les jeunes générations n'ont plus de dogmes dominants. Il y a ensuite une désaffection pour le politique au profit du culturel. J'appellerai ça la période post-sartrienne. La conviction que le politique, tel qu'il fonctionne en ce moment, ne peut plus résoudre, comme on l'espérait hier, les problèmes. On ne croit plus dans l'efficacité ultime de l'instance politique comme on pouvait y croire dans les années soixante. Le politique est apparu tout d'un coup comme une poire trop mûre qui tombe de l'arbre. C'est fini. Il me semble qu'en ce moment l'intellectuel n'a plus à se ranger derrière l'étendard d'un parti ou d'une idéologie. Il doit « faire retraite ». Il doit comprendre que son domaine à lui, celui de la réflexion, de la langue, de la culture, est sûrement le domaine où il se passera les choses les plus importantes dans les dix années à venir. L'homme de culture est désormais plus près du réel que le politique.

— Mais cela ne veut pas dire que vous faites profession d'apolitisme?

— Bien sûr que non! Il ne m'est pas complètement indifférent que tel parti l'emporte sur tel autre. Mais le Michel Serres philosophe n'a pas à mettre sa philosophie au service d'untel ou d'untel. En tant que philosophe, je dois réfléchir ailleurs et faire littéralement retraite. C'est peut-être parce que beaucoup de penseurs ont perdu leur âme et leur temps en se fourvoyant dans des endroits où ils n'avaient rien à faire que nous avons connu une telle régression culturelle, littéraire, philosophique, ces quinze dernières années. Au lieu d'inventer, de créer sur le terrain culturel, les philosophes ont répété mimétiquement un langage de bois à l'intérieur duquel il n'y avait pas de pensée du tout.

– *Mais cette retraite, ce n'est pas « le confort de la tour d'ivoire »*...

– Les gens croient que la tour d'ivoire est pleine de marbre et de coussins de velours. Pas du tout! Il y fait froid et faim. C'est la solitude absolue. C'est l'invention du petit matin, c'est le risque, le travail et le silence. C'est aussi ne pas être entendu, ne pas avoir de maître ni d'élèves. Le vrai philosophe refuse les élèves, il leur dit : fais toi-même ton parcours, sois toi-même, n'imite pas ce que je fais. C'est une dure navigation solitaire. Mais c'est à ce prix-là que le culturel retrouvera sa vie, sa liberté et son importance. Je crois en la philosophie, je suis sûr qu'il n'y a désormais d'avenir que là. Écoutez, partout ailleurs, la morne répétition.

– *En même temps, si je vous ai bien lu, ce refus de l'engagement au sens sartrien du terme, ce n'est pas du tout le désenchantement, la gueule de bois, les lendemains de révolution ratée. C'est, au contraire, la fondation d'un nouvel optimisme.*

– Ce genre de choses s'est vu souvent dans l'histoire. Des institutions, des instances données ayant produit toute leur efficacité deviennent, à un certain moment, trop mûres et tombent. Je ne condamne pas du tout l'engagement tel que Sartre l'a défendu à un moment donné, dans des circonstances qui le rendaient tout à fait nécessaire et souhaitable. Mais il se trouve qu'aujourd'hui, étant donné les rapports de forces, la manière dont les partis occupent l'espace, le politique est désormais répétitif, redondant, sans rapport avec les problèmes réels. Notre obligation de retraite ne vient pas de ce que nous serions désenchantés d'avoir perdu une partie. Cette partie-là n'a plus à se jouer. La vraie partie se joue ailleurs, très précisément à l'endroit où nous sommes, nous, philosophes. Il n'y a plus désormais d'espoir que sur ce terrain.

– *C'est la fin de l'échec et surtout du ressassement de l'échec.*

– Certainement. D'ailleurs, cet échec était peut-être heureux. C'est grâce à lui que nous prenons conscience qu'il faut nous séparer de l'État; qu'il y a nécessairement séparation de la philosophie et de l'État. Je trouve, moi, que la philosophie est très libérée depuis quelques années. Il y aura dans les prochaines années un renouveau culturel et philosophique formidable. L'alliance du philosophe et du politique se mesure toujours en quantité de violence. Le philosophe servait à faire le contrepoids logiciel quand le politique n'avait en main qu'une partie de la violence. Cette alliance serrée, c'était la situation depuis la fondation de Rome. Aujourd'hui, le politique a en main la violence absolue, c'est-à-dire la bombe atomique. Nous n'avons plus rien à faire là-dedans. Il y a séparation de la philosophie et de l'État. Pour la première fois depuis Platon! Nous faisons donc retraite en disant aux politiques : c'est vous qui avez désormais dans les mains cet avenir prévu de violence universelle. Pour notre part, nous avons tout bêtement – et nous en sommes comptables – l'espoir de l'humanité. Ils ont la destruction et nous avons le reste.

– *Vous dites que les philosophes doivent sauver la connaissance par un acte fondateur. Mais pour en faire quoi?*

– La connaissance était tellement engluée dans le pouvoir et la violence que la fin de cette histoire a été Hiroshima. Et c'est toujours Hiroshima. Or, s'il y a des enjeux dans le culturel, le philosophique, c'est de trouver les conditions de quelque chose qui aille au-delà de cette échéance, sans cesse repoussée d'un millimètre. Cette échéance de Hiroshima, c'est notre histoire. Que font les politiques actuellement? Ils repoussent l'échéance d'un week-end, d'une semaine, comme les enfants qui poussent du pied leur tesson, quand ils jouent à la marelle. Hiroshima est derrière nous et devant nous. Ça ne fait pas un avenir. S'il y a un espoir historique, il est pourtant au-delà de cette échéance, et c'est ce passage-là que les philosophes doivent négocier. Ce que j'appelle l'obligation de retraite vise à repenser les conditions de la connaissance, du pouvoir, de la science, pour aller au-delà de cette débile histoire. Tous les enjeux philosophiques d'autrefois – la connaissance et l'action, le politique, etc. – viennent brusquement buter sur ce point. Pourquoi suis-je philosophe? A cause de Hiroshima, il n'y a pas de doute. Hiroshima est l'acte premier qui a organisé toute ma vie et m'a fait dire : je me retirerai toujours devant la violence pour essayer de connaître et d'agir autrement.

– *Justement. Vous répugnez en général à parler de vous, de votre itinéraire...*

– Écoutez, j'ai cinquante ans, et mon premier contact avec l'histoire, c'est 1936, la guerre d'Espagne. J'habitais dans le Sud-Ouest, et nous avons hébergé un jour dans la maison de mon père un militant blessé des brigades internationales, rescapé de cette guerre. Un soir, à la veillée – j'avais cinq ou six ans, – il nous a raconté les tortures qu'il avait subies. On l'a soigné, on l'a gardé huit jours et il s'est tiré d'affaire. Une semaine plus tard, on a reçu un curé espagnol, blessé lui aussi, qui nous a raconté exactement la même histoire, mais de l'autre côté. Pour moi, enfant, cela voulait dire la souffrance des hommes des deux côtés de la théorie. Et cela n'a plus cessé. Au lycée, pendant l'Occupation, j'ai vu des camarades de maths élem et de philo s'entre-tuer de part et d'autre de la nationale 113. L'un était milicien, l'autre maquisard. Au petit matin, nous les avons enterrés tous les deux. Les gens de ma génération ont été sans cesse écrasés par une histoire qui va de la guerre d'Espagne à celle d'Algérie. Nous n'avons jamais cessé d'être dans la violence mortelle. Quand j'ai été reçu à l'École normale en 1952, il y a eu huit suicides autour de moi. De façon éperdue, les gens ont trouvé refuge dans des partis ou des idéologies qui les rassuraient. Cette génération a été formée au milieu du sang et des larmes. La seule façon de me sortir de cela a été de me dire que, tout seul, j'allais avancer sans jamais donner la main à l'une des idéologies qui avaient fait mourir mes amis.

— *L'histoire a planté la violence en vous, la violence idéologique et son caractère double.*

— D'une manière définitive. Un jour, à Venise, en entrant dans l'église des Esclavons, j'ai vu saint Georges tuant le dragon. Cela m'a paru symboliser tout ce que j'avais toujours connu. Il y avait saint Georges d'un côté, le dragon de l'autre, en symétrie et en ressemblance absolue. Et sous le poitrail du dragon, sous le ventre du cheval, il y avait les membres épars d'un homme et d'une femme. Ça, c'était ma génération; avec, à gauche et à droite, saint Georges et le dragon, qui faisaient comme une arche. Ce que j'ai appelé un jour le fort et le contre-fort. Voilà cette dualité que je n'ai jamais pu accepter. Cette théologie du Dieu et du diable.

— *Vos textes et vos propos sont toujours semés de références évangéliques. Pourtant, vous ne vous dites jamais chrétien.*

— Pour cela, je vous renverrai à mon itinéraire. J'ai commencé, comme le conseillait Platon, par la géométrie. Puis, je me suis progressivement avancé dans des domaines de plus en plus concrets : la physique, la biologie, les sciences humaines... Je crois fondamentalement que, en matière d'anthropologie, c'est l'histoire des religions qui a les contenus les plus concrets, charnels, globaux. Je l'ai toujours sentie comme la discipline vers laquelle je tendais. J'ai lu avec grande attention Mircea Eliade. Je connais par cœur les travaux de Dumézil. J'ai rencontré René Girard, qui est aujourd'hui un point d'ancrage décisif. Donc, je *vais* en effet vers l'anthropologie et le religieux. Sur le plan des connaissances, je suis très attaché aux cultures qui transportent des contenus religieux. Je suis un lecteur assidu d'Homère, de Virgile, de toute l'antiquité gréco-latine et aussi des prophètes d'Israël qui, pour moi, ont inventé la notion d'histoire. En revanche, je ne sais pas bien ce que veut dire « croire », « croyance », « foi »... Je voudrais bien le savoir mais je ne le sais pas. Disons que, sur ce point, je réserve encore ma réponse. Curieusement, je sais, sans pouvoir croire.

– *Et pourtant! Votre souci de « faire retraite », de vous libérer de la politique, c'est-à-dire du ressentiment en action, tout cela ne vous conduit-il pas à frôler une idée que les chrétiens appellent la sainteté?*
– C'est un mot que je n'ai jamais prononcé, mais il est certain que si j'avais une morale à faire ce serait une morale de la sainteté. Je ne sais pas ce qu'est la croyance ou la foi, mais je crois savoir ce qu'est la sainteté. Et il me semble que si, demain, le savant ne devient pas quelque chose comme un saint, la science est perdue. Je le pense profondément. Mais je n'ose pas trop le dire, pour une raison bien simple : dès qu'on en parle, *urbi et orbi,* ce n'est déjà plus ça. Il y a là un piège terrible. Parler, publier, c'est déjà être dans le concept de *publicité.* Dès le moment où on écrit, on occupe l'espace. On est comme le rossignol qui chante et couvre par sa voix sa niche écologique. Alors il faudrait peut-être travailler et faire silence.

– *Face au politique! Devant le prince qu'on laisserait libre de ses pouvoirs!*
– Pas tout à fait. Pas du tout, même. Maintenant que le philosophe n'est plus englué dans le pouvoir et la violence, maintenant qu'il est dehors, il est l'œil implacable qui regarde le prince et révèle son mensonge. Il n'est plus partie prenante. Je peux dire au prince : vous avez la bombe atomique dans la main, vous n'avez pas besoin de moi. Mais moi, philosophe, je suis celui qui montre, qui révèle que vous avez cela en main et que vous serez désormais indéfiniment dans la répétition. Vous n'avez plus que cela : la destruction universelle.

C'est nous, désormais, qui allons montrer la nudité absolue de tous les rois. Le réel les a fuis, et il vient vers nous. »

Jean-Claude GUILLEBAUD,
10 mai 1981.

Michel Serres est né à Agen en 1930.
Professeur d'histoire des sciences à l'université de Paris-I-Sorbonne.

Ouvrages

Le Système de Leibniz et ses modèles mathématiques, 2 vol., Presses universitaires, 1968. Rééd. en 1 vol., 1982.
Hermès I. La communication, Minuit, 1969.
Hermès II. L'interférence, Minuit, 1972.
Hermès III. La traduction, Minuit, 1974.
Jouvences. Sur Jules Verne, Minuit, 1974.
Feux et signaux de brume. Zola, Grasset, 1975.
Esthétiques. Sur Carpaccio, Hermann, 1975, rééd. poche, 1983.
Auguste Comte. Leçons de philosophie positive, t. I, Hermann, 1975.
Hermès IV. La distribution, Minuit, 1977.
La Naissance de la physique dans le texte de Lucrèce. Fleuves et turbulences, Minuit, 1977.
Hermès V. Le passage du Nord-Ouest, Minuit, 1980.
Le Parasite, Grasset, 1980.
Genèse, Grasset, 1982.
Rome. Le livre des fondations, Grasset, 1983.
Détachement. Apologue, Flammarion, 1983.

L'ÉCOLE DE FRANCFORT

Parce qu'elle influence à sa manière les philosophies françaises, il nous a semblé nécessaire de présenter pour finir l'Ecole de Francfort et les débats qu'aujourd'hui encore elle suscite. Que ce soit les idées agitées dans l'après-mai 1968 ou le renouveau de la philosophie politique, les questions posées à la modernité par Adorno, Habermas ou Marcuse ont été souvent autant de jalons pour les penseurs de l'hexagone.

Miguel Abensour

« Les penseurs de l'École de Francfort – Adorno, Marcuse, Horkheimer... – ont dévoilé les nouvelles
formes de la domination totalitaire
dans le monde contemporain. »

*Horkheimer, Adorno, Marcuse, Habermas... Peu à
peu – bien après les autres pays d'Europe – la France
découvre les penseurs de l'Ecole de Francfort. Qu'est-
ce que l'Ecole de Francfort? C'est à cette question que
répond Miguel Abensour, qui enseigne la philosophie
politique à l'université de Reims. Membre du comité
de rédaction de la revue* Libre, *il a publié des travaux
sur Saint-Just, le mouvement socialiste anglais (W.
Morris) et français (P. Leroux, Blanqui), les penseurs
de l'utopie. C'est à son initiative qu'on doit
aujourd'hui la traduction, chez Payot, des grandes
œuvres de Horkheimer, d'Adorno, de Habermas.*

– *Qu'est-ce que l'Ecole de Francfort?*

– Plutôt qu'une école, il s'agit d'un cercle. Ce terme d'école me paraît à la fois trop universitaire et trop dogmatique pour rendre compte de l'activité de l'Institut pour la recherche sociale, fondé en 1923, avec, pour premier directeur, Carl Grünberg, Horkheimer ne prenant la direction qu'en 1931 (l'organe du groupe étant la prestigieuse *Revue de recherche sociale*). Comment penser ensemble *théorie critique* et *école*? La pensée critique, pensée de la crise de la société moderne au sens objectif du terme, est aussi pensée contre le dogmatisme, au sens kantien du terme. Pour faire droit à cette dualité de traditions (Kant-Marx), il convient de privilégier la *pluralité* plutôt que *l'unité*.

« Il n'existe pas une, mais plusieurs théories critiques. Deux, selon Horkheimer : celle des années trente, marxiste-révolutionnaire; celle des années soixante-dix, qui, en même temps qu'elle effectue une critique du " monde administré ", abandonne le projet révolutionnaire et tend à opérer un repli sur des positions strictement défensives. De même pour Marcuse, qui reconnaît la dualité de la théorie critique, mais pour en tirer des conséquences inverses, à savoir, l'exigence de repenser la révolution.

« Encore faudrait-il s'interroger sur l'existence d'une troisième théorie critique, qui correspondrait à la trajectoire d'Adorno, trajectoire originale, en ce qu'elle reste étrangère aussi bien à un retrait défensif qu'à l'élaboration d'une nouvelle utopie. »

– *Peut-on cependant, au-delà de cette pluralité, désigner un « noyau théorique » qui correspondrait précisément à la théorie critique?*

– L'idée d'un « noyau théorique » me paraît inacceptable, en ce qu'elle fait violence à l'anti-dogmatisme du groupe de Francfort et ouvre la voie à des jugements globalisants. Cela dit, définir la théorie critique implique de mettre en valeur une *perspective unitaire*, à concevoir plutôt comme un champ de forces.

« Les grands axes en sont : 1) une théorie réflexive, en ce sens que, contrairement à la théorie traditionnelle (Descartes), elle porte en elle la volonté d'une auto-éducation continuée de son rapport au social-historique; 2) une théorie critique de la société, qui, à partir d'une critique dialectique de l'économie politique et d'une critique des idéologies, visé à participer en tant que telle à une " rationalisation " du réel, au travail de l'émancipation. »

– *Quel est le rapport de la théorie critique au marxisme?*

– Faire de la théorie critique une invitation à une *reconstruction* du marxisme me paraît une voie sans issue. Une telle interprétation aurait, en outre, pour effet d'occulter la mise à distance du marxisme par la théorie critique.

« On peut distinguer deux phases :

« 1) Au moment de la constitution de la théorie critique, à la fin des années vingt, l'enracinement dans le marxisme est incontestable. Encore faut-il préciser que ce rapport au marxisme se noue principalement par la méditation essentielle de deux œuvres de marxistes condamnés alors comme hérétiques : *Histoire et Conscience de classe*, de Lukács, *Marxisme et Philosophie*, de Korsch. Ce rapport premier au marxisme prend la forme d'une intervention active, offensive dans la crise du marxisme, telle qu'elle fut définie précisément par Korsch en 1931. Intervention qui refusait aussi bien le léninisme que le réformisme social-démocrate, sans pour autant nourrir le fantasme de la restauration d'une doctrine pure et originelle. Ajoutons à cela que le groupe de Francfort n'a jamais cédé aux illusions d'une Russie socialiste, qu'il a été parmi les premiers à percevoir en URSS non un État ouvrier dégénéré, mais la naissance d'une forme sociale originale obéissant à sa propre logique bureaucratique et dont le marxisme échouait à rendre compte;

« 2) Dans les années quarante, s'effectue de la part de la théorie critique une véritable mise en question du marxisme, la pensée de Marx paraissant alors trop prisonnière des limites du rationalisme.

« Une démarche commune apparaît dans ces deux phases : il s'agit de confronter Marx à d'autres penseurs de l'émancipation : on peut dire que Horkheimer et Adorno sont comme les pionniers d'un rapport libre à Marx, traitant Marx comme un penseur de *l'émancipation humaine* parmi d'autres. »

 – *Quel rôle joue la philosophie dans cette tâche d'émancipation?*
 – C'est une décision en faveur du maintien de l'actualité, de la philosophie, contre la fameuse onzième thèse de Marx sur Feuerbach, qui constitue en tant que telle la théorie critique. L'émancipation exige d'émanciper la philosophie de l'accusation de désuétude portée par Marx. Le groupe de Francfort s'inscrit dans l'achèvement de la philosophie à la mort de Hegel. C'est de « l'échec » de la philosophie hégélienne, qui n'est pas n'importe quel échec, que l'activité philosophique, selon Adorno, tire sa légitimité.

« Hegel est l'incontournable adversaire. La théorie critique peut se définir comme une *œuvre du soupçon* contre deux formes de systématicité, qui atteignent leur apogée chez Hegel : la systématicité philosophique (identité du concept et de l'objet); la systématicité ou l'intégration étatique (identité de la société et de l'État). La théorie critique dévoile la fausseté des processus identifiants qui existent, soit comme rapport logique, soit comme rapport social : elle est mise en question de l'identification qui s'effectue au niveau de la pensée, par la domination du sujet sur l'objet; mise en question de l'identification qui s'effectue au niveau de la réalité socio-politique par la domination des sujets entre eux. Seule en un sens, l'expérience de la souffrance, au sens matérialiste, en tant qu'expérience de la fausseté de ces deux identifications, peut ouvrir la voie à la vérité, comme expérience de la possibilité utopique de la non-souffrance. C'est dans la mesure où la théorie critique vise le non-identique qu'elle se constitue comme " dialecti-que négative ".

« Enfin est affirmée la volonté de tenir la philosophie à l'écart de l'État, d'une pratique universitaire qui fait de la philosophie la servante de l'État et de ses buts. A l'origine de cette volonté, la thèse que l'acceptation de toute forme politique autoritaire ne peut engendrer qu'une forme de pensée autoritaire. »

– Mais qu'en est-il de la question politique dans ce travail de critique et d'émancipation?

– La question politique est fondamentalement pré-sente dans la texture même de la théorie critique; elle en est une dimension constitutive. Disons, pour com-mencer, que nous sommes en présence d'un groupe de philosophes qui, au XXᵉ siècle, n'ont pas cru déchoir en écrivant sur la société moderne et les formes contem-poraines de la domination, ou mieux, qui ont conçu leur critique de la société moderne, dans ses manifestations les plus diverses, du point de vue de l'émancipation. Citons, simplement, l'ouvrage collectif sous la direction de Horkheimer *Études sur l'autorité et la famille* (Paris, 1936), de Horkheimer, *Égoïsme et émancipa-tion* (1936), *Raison et conservation de soi* (1941), la direction des *Studies in Prejudice*, notamment le grand livre où la collaboration d'Adorno a été déterminante, *La Personnalité autoritaire* (1950).

« Un ensemble impressionnant qui constitue ce qu'on pourrait appeler une " critique de la politique ", dont les principaux chapitres sont : une critique de l'autorité et de la famille, une critique de l'émancipation bour-geoise, une critique du fascisme, du " totalitarisme bourgeois ", de la culture comme domination, une critique d'une figure anthropologique propre aux démo-craties modernes : l'homme autoritaire.

« C'est en s'opposant à la thèse de Marx, énoncée en 1843, selon laquelle " domination et exploitation sont un seul concept, ici comme ailleurs ", c'est en refusant de rabattre le politique sur l'économique, de l'en faire dériver, que le groupe de Francfort fonde la possibilité d'une critique de la politique. Pour Horkheimer, et ce dès 1933, l'histoire est constituée dans et par la division en groupes dominants et groupes dominés, la domination permettant l'appropriation du travail aliéné. En 1936, dans la présentation des *Études sur l'autorité et la famille*, il pose l'autorité comme une catégorie essentielle de l'histoire. Ce qui, référé à l'histoire en général, a valeur d'hypothèse devient thèse, certitude pour le XXᵉ siècle : le surgissement de l'État autoritaire, sous la forme du capitalisme d'État, selon les analyses de F. Pollock, transforme le caractère de la période historique; il y a passage d'une ère principalement économique à une ère fondamentalement politique.

« Décrochant la domination de l'économie, Adorno, de son côté, va jusqu'à envisager la possibilité d'une catastrophe contingente à l'origine de la société humaine, visant par cette hypothèse à ruiner la " Raison dans l'histoire ", l'idée même de nécessité historique, présente aussi bien chez Hegel que chez Marx. »

– *Quelle vision Adorno a-t-il de la domination dans le monde contemporain?*

– Comme Horkheimer dans l'essai sur *L'État autoritaire* (1942), Adorno pose l'existence d'un nouvel ordre. Une nouvelle période est née dans l'histoire, avec sa structure sociale propre. Par contraste avec la domination bourgeoise, domination médiatisée, le nouvel ordre se caractérise par une domination ouverte, immédiate, soit effectivement, soit tendanciellement. Sous l'emprise des grands monopoles et des grandes puissances, surgit une totalité sans faille, un monde uniformisé, qui tend à se rapprocher d'un processus global. D'où la nécessité de penser, derrière l'unification totalitaire au niveau du social, l'entreprise métaphysique comme identité du système qui ne laisse rien échapper.

« De là un état de dépendance sans précédent : la transformation du statut de l'idéologie, qui, d'illusion socialement nécessaire, devient un simple ciment matériel; la suprématie, dans quelque société que ce soit,

214

d'un élément objectif sur les individus, suprématie qui s'alimente dans nos sociétés de l'illusion individualiste. Aux yeux d'Adorno règne un froid universel – sorte d'apogée de la froideur bourgeoise s'enracinant dans la conservation de soi – qui se traduit par une décomposition inouïe de l'individu, la disparition de la spontanéité humaine individuelle, à la limite la disparition de toute expérience possible.

« Mais à cela, Adorno ajoute la mise en valeur de contre-tendances – c'est en ce sens que l'analyse adornienne est ouverte. Cette unification totalitaire révèle du même coup son propre échec : " Ce qui ne tolère aucun élément parcellaire se trahit par là même comme ne dominant que de façon parcellaire " *(Dialectique négative)*. L'universel (l'État, le parti...) qui torture le particulier en le comprimant jusqu'à le dissoudre travaille contre lui-même puisqu'il a sa substance dans la vie du particulier, dans la " satisfaction " du particulier. Reprenant les analyses remarquables de Neumann, dans *Behermoth*, selon lequel derrière la façade monolithique de l'État fasciste s'effectue une lutte sans merci entre bureaucraties rivales, un véritable éclatement en appareils de pouvoirs indépendants et antagonistes, Adorno les transpose pour montrer que ce même mouvement antagoniste (unification-dislocation) se reproduit au niveau du social même.

« Plus la société met le cap sur la totalité, sur la socialisation totalitaire, plus se fait jour en elle une tendance profonde à la dissociation, à l'éclatement. Derrière la structure sociale totalitaire se met en place une logique de la dislocation, la désintégration s'annonce sans qu'on puisse dire s'il s'agit de la *catastrophe* – l'autodestruction de l'espèce humaine – (par exemple la multiplication des groupes d'autodéfense) ou de la *libération* (par exemple, contre la fausse universalité, les revendications et les mouvements en faveur d'un vrai pluralisme). »

– *Quelles perspectives politiques ouvre une telle pensée?*

– Peut-on parler de perspectives directement, immédiatement politiques? Certainement pour Marcuse, sous forme de l'utopie d'un nouveau principe de réalité non répressif, au-delà du principe de rendement.

« Certainement pour Horkheimer, sous forme d'un défaitisme de la raison. Certainement pas dans le cas d'Adorno chez qui l'on voit s'effectuer un déplacement de la question politique. Le blocage historique de la pratique – à savoir l'échec du projet révolutionnaire – libère paradoxalement un temps pour la pensée, qu'il serait criminel de ne pas utiliser. Ainsi, pour Adorno, l'accès au politique passe-t-il nécessairement par un travail de la théorie sur et contre elle-même. Comme si le discours politique se transformait en un discours sur les conditions d'une politique de la liberté, comme si le discours émancipatoire devait nécessairement se doubler d'un discours sur les conditions de l'émancipation. En commençant modestement par déconstruire les mythologies politiques, les positivités illusoires qu'elles visent à répandre, en pratiquant sans relâche le rejet des idoles et des fétiches.

« De ce point de vue, la position d'Adorno – et c'est sa force – est *irrésumable*, d'autant plus irrésumable, incernable, que son choix est de ne se rattacher à *rien*, en prenant *rien* au sens fort du terme. Il s'agit avant tout de se dégager d'une société fausse. Si l'on peut dire de la philosophie moderne qu'elle est traversée par une problématique de la patrie et de l'exil, les penseurs de Francfort sont des *penseurs de l'exil*, et Adorno plus que les autres, semble-t-il – et là leur rapport complexe au judaïsme serait à interroger. Pensée de l'exil d'autant plus radicale qu'à aucun moment elle n'entretient l'illusion d'un retour à une quelconque patrie, ou à une demeure natale, à la différence de Heidegger, par exemple.

« Seule l'affirmation jusqu'au bout de cet exil – il n'y a ni absolu, ni fondement premier, ni invocation à l'être – peut préserver la possibilité sans garantie de l'autre, d'une vie transformée, d'une société juste. Aussi n'eston admis à parler tout au plus que de directions, de tendances.

« Contre la phrase de Brecht, grosse de toutes les servilités et de tous les meurtres possibles : " Le parti a mille yeux, l'individu n'en a que deux ", Adorno appelle les individus à se fier à leurs deux yeux, c'est-à-dire à lutter contre tous les universels qui veulent nous faire voir le réel à travers leurs " lunettes roses ", qui prétendent agir, penser, en notre nom et pour notre bien. Comme Stirner dans *L'Unique et sa propriété* invite à lutter contre les formes sécularisées du sacré : État, humanité, classe, qui sont autant d'instances d'autodestruction du moi. Ce à quoi la lecture d'Adorno invite, me semble-t-il, c'est à ce que chacun d'entre nous, au lieu où il est, dans la fonction qu'il occupe, tente de déchiffrer le mensonge de la totalité, de l'objectivité, dans les moments, dans les manifestations qu'il en connaît et dont il est partie prenante.

« Chaque détail, chaque fragment de la société présente contient en microcosme, sous une forme condensée, une image dialectique de la fausse totalité. Que chacun engage donc, ici et maintenant, le combat – et c'est ce qu'a fait Adorno lui-même dans sa lutte contre *l'establishment* sociologique en Allemagne, au cours de la querelle sur le positivisme. Que se multiplient les actes de résistance contre la fausse totalité, les actes de dissidence contre les universels mensonges. Pour une individuation de la connaissance, pour une individuation de la résistance, pourrait-on dire, contre le primat de l'objectif.

« Ajoutons à cela une dimension que l'on a souvent tendance à négliger et qui me paraît néanmoins constitutive : je veux dire la haine de la souffrance, de la souffrance physique et de toute transfiguration, soit religieuse, soit ontologique, de la souffrance. Une société émancipée renoncerait au principe du renoncement. Sensualistes, matérialistes, par des voies diverses, les théoriciens de Francfort appellent à une " réhabilitation de la chair ", ou, plutôt, à une réhabilitation de ce que Merleau-Ponty nommait la " chair du monde ". Rapport à la chair du monde qu'il faut concevoir à l'écart de toute perspective d'appropriation ou de possession. Non-violence constitutive, comme s'il s'agissait d'épurer l'utopie – utopie négative qu'Adorno se garde bien de définir – de tout ce que l'exigence, la représentation de la plénitude contiennent encore d'équivoque; pas d'espérance sans bannissement de l'avidité, de l'assujettissement.

« L'écart d'Adorno à l'égard de tous les projets politiques connus, sa non-appartenance, se mesure à ce qu'il vise tendanciellement (et c'est là que la critique de la métaphysique est une médiation nécessaire) à opérer une conversion des rapports sujet-objet. Le terme de conversion ne doit pas égarer : il ne s'agit en aucune manière d'une réforme morale, intellectuelle ou esthétique. Cette conversion, en effet, est à la fois condition et conséquence d'une organisation sociale radicalement autre, où disparaîtrait la contingence des vies individuelles et se constituerait un ordre sans violence. De par la rupture avec tout modèle de l'identité naîtrait la possibilité d'une attitude qui fasse accueil à l'objet sans lui faire violence, qui soit susceptible de faire accueil à l'autre, de libérer le non-identique.

« Pour Adorno, la société juste, loin de s'inspirer de la forme de l'État unitaire, de revendiquer une égalité abstraite, serait celle dont les membres pourraient affirmer leur différence sans crainte, pourraient faire l'expérience de la non-identité.

« Quant à notre présent pris dans le monde administré : " Ce qui pourrait être différent n'a pas encore commencé *(Dialectique négative).* "

Edmond EL MALEH,
2 mars 1980.

Miguel Abensour est né en 1939 à Paris.
Professeur à l'université de Reims. Dirige la collection « Critique de
la politique » chez Payot.
Collabore à la revue *Passé-Présent* et aux *Cahiers de Philosophie
politique* qu'il a créés.

Jürgen Habermas

« On assiste à un dépérissement bureaucratique de la communication et à une invasion du monde vécu par la rationalité économique et administrative. »

Né en 1929 à Düsseldorf, Jürgen Habermas fut étudiant à Bonn, puis assistant de Theodor W. Adorno à Francfort. Professeur à l'université de Heidelberg de 1961 à 1964, puis à l'université de Francfort de 1964 à 1971, il dirige depuis 1971, à Starnberg, près de Munich, l'institut Max-Planck de recherches sur les conditions de vie dans le monde scientifique et technique. Son œuvre abondante est partiellement accessible en traduction : La Technique et la Science comme idéologie, Profils philosophiques et politiques, Théorie et pratique, Connaissance et intérêt, L'Espace public, Raison et légitimité, problèmes de légitimation dans le capitalisme avancé.

Le volume collectif sur La Situation intellectuelle de notre époque, *conçu et préfacé par Jürgen Habermas, faisait en 1979 le bilan de trente ans de vie intellectuelle en RFA.*

– *Vous avez écrit une « Reconstruction du matéria-lisme historique ». Que reste-t-il de Marx dans votre système? Vous définissez-vous toujours marxiste?*

– Je vois d'ici tous les malentendus que ma réponse risque de susciter en France! Chez vous, il y a un PC puissant, et le marxisme a été, jusqu'au milieu des années soixante-dix, l'idéologie dominante. La situation est complètement différente en Allemagne. Nous avons nos traditions spécifiques, un voisin qui s'appelle République démocratique allemande, des mouvements de dissidence, et, enfin, il n'y a pas de PC digne de ce nom.

« Je n'ai jamais été un marxiste orthodoxe, pas plus, je crois, que les vieux maîtres de l'École de Francfort. Si je tiens à me définir comme marxiste, c'est par provocation dans le contexte allemand. Il faut habituer notre milieu universitaire et intellectuel, qui est, dans l'ensemble, terriblement réactionnaire, à l'idée qu'on peut être un savant sérieux tout en se réclamant d'une tradition marxiste.

« Voilà pour les étiquettes. Sur le fond, il est certain que Marx reste pour moi une source d'inspiration. D'abord, parce que chez lui la perspective théorique va de pair avec les préoccupations pratiques. Et parce que sa théorie de la société considère son objet à la fois de l'extérieur (les problèmes systématiques sous la pression desquels une société doit constamment changer) et de l'intérieur (quelle image une société a d'elle-même, quel sens elle se donne).

« Cela dit, ne soyez pas déçu quand vous lirez le livre que je suis en train d'écrire : j'y parle de Meads, de Durkheim, de Max Weber. Mais nulle part directement de Marx. »

– *Dans votre préface au recueil* Situation spirituelle de notre temps, *vous parlez de « colonisation du monde vécu ». Qu'entendez-vous par cette formule?*

– Marx avait analysé la signification du travail salarié : l'adaptation d'un domaine d'action aux impératifs d'un système régi par la valeur d'échange et le droit. Aujourd'hui, de plus en plus de formes de vie se sont cloisonnées en systèmes autonomes, sous l'emprise des organisations administratives et économiques. Les modes d'intégration sociale anciens, qui passaient par les valeurs, les normes et un accord obtenu dans la communication, disparaissent.

« Presque tous les rapports sociaux sont codifiés juridiquement : relations entre parents et enfants, enseignants et élèves, entre voisins. Ces réformes corrigent parfois des rapports de domination archaïques. Mais elles provoquent un dépérissement bureaucratique de la communication. Les schémas de la rationalité économique et administrative envahissent les domaines traditionnellement réservés à la spontanéité morale ou esthétique. C'est cela que j'appelle " colonisation du monde vécu ".

– *Voilà pourquoi la sociologie ne peut se passer d'une approche psychanalytique.*
– La psychanalyse (compte tenu de ses développements récents) reste un instrument indispensable pour comprendre notre temps. Dans une société relativement bien intégrée comme la RFA, les problèmes les plus graves sont esquivés dans le débat politique. Les vrais conflits sont refoulés ou intériorisés par les individus. Les symptômes de cette morbidité latente ne manquent pas : l'alcoolisme, la toxicomanie, les troubles du comportement, les problèmes éducatifs, ont pris de telles proportions que toute une partie de la population doit être placée sous surveillance psychiatrique.

« Les seules discussions politiques qui soulèvent encore des passions concernent des domaines apparemment marginaux de la socialisation : l'école, la famille, la politique culturelle, les *mass media* (l'État doit-il garder le monopole de la radio et de la télévision? Comment chasser les intellectuels de gauche qui influencent les programmes?). Je pourrais aussi parler de la réforme du droit pénal, qui suscite chez nous des polémiques violentes.

« A part cela, notre système politique se caractérise par une polarisation illusoire Strauss/Schmidt, qui porte sur des personnes plus que sur des programmes. Aucune différence notable en ce qui concerne l'économie, des nuances purement rhétoriques à propos de la politique extérieure. Les véritables conflits sont articulés par les " verts " et par les oppositions extra-parlementaires.

« On reproche à l'Ecole de Francfort d'avoir fait plus de place à la théorie de la culture qu'à l'économie politique. Mais cela traduit un sens plus subtil des nouveaux conflits qui n'ont pas lieu dans la sphère économique.

– Vous avez évoqué plusieurs fois l'Ecole de Francfort. Que représente-t-elle pour vous?

– Mettons les choses au point. Historiquement, c'est un mouvement intellectuel fixé à New York pendant les années d'émigration, entre 1933 et 1941. Autour de Horkheimer se retrouvaient Marcuse, Pollock, Löwenthal et Adorno, ainsi que Fromm, Kirchheimer et Neumann pour les conseils de rédaction de la *Zeitschrift für Sozialforschung* (Revue de recherche sociale) qui a paru entre 1932 et 1941. Seul le premier numéro avait pu être édité à Francfort.

« Ensuite Adorno et Horkheimer ont écrit ensemble en Californie la *Dialectique de la raison.* Après la guerre, seuls deux membres de l'ancien groupe sont demeurés créateurs : Marcuse et Adorno. Mais ils ont suivi des voies divergentes. Quand je suis arrivé à Francfort en 1956 (comme assistant d'Adorno), Horkheimer cachait les numéros de la *Revue de recherche sociale* dans la cave de son institut. Pour le mandarin qu'il était devenu, ils représentaient un héritage encombrant.

« A la fin des années soixante, les étudiants ont redécouvert la revue. On s'est remis à parler de l'Ecole de Francfort, qu'on a identifié à la " sociologie critique " et à mes livres. »

– *Quels sont les thèmes vivants de cette tradition?*

– D'abord, la volonté de débarrasser le marxisme de tout dogmatisme. Mais aussi de refuser la solution social-démocrate, qui est incapable de rompre avec les structures de la société bourgeoise.

« Ensuite, la volonté de s'ouvrir à toutes les sciences sociales, non seulement à l'économie, mais aussi à la psychologie, à l'histoire de l'art et de la littérature, aux sciences politiques et juridiques.

« Dans le champ philosophique, cette tradition s'oppose à la métaphysique et à l'empirisme positiviste. Car ce dernier dissout les notions synthétiques et interdisciplinaires telles que culture, idéologie, type de société. Il émiette les questions théoriques en disciplines cloisonnées. »

– *Quels thèmes avez-vous particulièrement développés?*

– Regardez le premier volume de la *Revue de recherche sociale*. Vous y trouvez un article de Horkheimer sur « science et crise », un de Fromm sur « psychanalyse et science sociale » et des études d'Adorno et Löwenthal sur la situation de la musique et de la littérature modernes. Ces trois questions n'ont jamais cessé de m'intéresser.

« Théorie critique de la connaissance et de la science, leur fonction dans le capitalisme avancé : c'est le sujet de mon livre *Connaissance et intérêt*. L'expérience de l'Amérique amenait Adorno et les autres à développer une théorie de la culture de masse et – par contraste – une théorie de l'art d'avant-garde devenue ésotérique. Je me suis attaché à développer et à actualiser ce diagnostic. »

– *Quel est le bilan de votre engagement politique en Allemagne?*

– Je ne me fais pas d'illusions. Ma position est celle d'un chercheur universitaire qui, accessoirement, se sert des *mass media* pour dire son opinion dans

certaines situations. En RFA, nous n'avons pas d'organisation de la gauche radicale. Le parti social-démocrate a de bons côtés, mais il n'est pas intellectuellement très excitant... On ne songe pas à se définir en
fonction de lui.

— *On se souvient de vos positions au temps du
mouvement étudiant.*
— J'ai soutenu le SDS (Fédération des étudiants
socialistes) après son exclusion du parti social-démocrate. C'était en 1961. A l'époque, nous étions dans toute
l'Allemagne un groupe de trois professeurs (ou quatre,
au grand maximum) qui donnions une couverture
institutionnelle au SDS. C'est le seul moment de ma
vie où je me suis défini en fonction d'une organisation.
C'est comme cela que je me suis trouvé mêlé au
mouvement étudiant, avec Adorno, avec Mitscherlich,
avec Fetscher. Mes livres ont eu une certaine audience.
Au jour le jour, je prenais position. J'allais trois fois par
semaine à l'assemblée générale.

— *Avez-vous des regrets?*
— Au contraire. Au début, je considérais avec réti-
cence les aspirations à une révolution culturelle et les
tendances anarchistes. J'ai compris ensuite qu'il était
utile de mettre nos institutions et notre démocratie à
l'épreuve de l'imagination. On pouvait ainsi montrer
que certaines valeurs démocratiques avaient sérieusement dépéri. J'ai soutenu le mouvement étudiant jusqu'en 1969, car il ouvrait la voie à un réformisme
radical.

— *Réformisme radical : que signifie cette formule?*
— Je suis d'avis qu'il n'est pas seulement vain, mais
même dangereux, de continuer à parler de « révolution » dans nos sociétés du capitalisme tardif. La
situation dans les années soixante n'était pas révolutionnaire. Je doute que même en France les événements de
mai 1968 aient été un début de révolution. Car la

révolution peut à la rigueur partir de la subculture intellectuelle, mais non être portée par elle.

« Les travailleurs en Allemagne et aux États-Unis n'ont pas le moins du monde une sensibilité révolutionnaire ni le goût de quoi que ce soit de radical. Tel était le cas en 1968, et il en va de même aujourd'hui. On ne peut pas transporter dans le monde actuel une symbolique révolutionnaire héritée des années vingt. Je le disais aux étudiants, et ils m'en voulaient beaucoup. Je menais un combat sur deux fronts. Pour l'opinion, j'étais un dangereux irresponsable. En même temps, je critiquais la rhétorique désuète des étudiants.

« Le réformisme radical consiste à réclamer des réformes qui sont incompatibles avec les mécanismes de la croissance, tout en laissant au capitalisme une chance de se régénérer. Cela veut dire qu'on est guéri des fautes du marxisme dogmatique, que personne ne détient la vérité, que l'action politique ne doit pas s'inspirer de schémas philosophiques préétablis, mais devenir un jeu de tests, un tâtonnement.

« Avec des coups d'État et des barricades, on n'arrive plus à rien. Toute transformation radicale implique un changement des subjectivités : la révolution doit être démocratique. J'ai toujours été antiléniniste. L'idée qu'une élite se sert des instruments de production pour convertir les masses me paraît complètement discréditée.

« Dans l'immédiat, je ne suis pas un ennemi de la social-démocratie, bien que je me situe nettement plus à gauche. Tant qu'il n'y a pas de mouvements sociaux dignes de ce nom, le réformisme social-démocrate est l'unique solution. Après les immenses déceptions que nous a réservées l'histoire du socialisme, il convient de se montrer prudent. »

— *Vous avez rendu un vibrant hommage à la mémoire de Rudi Dutschke. Il avait embrassé la cause écologiste. Les « verts » sont-ils porteurs d'un espoir nouveau pour la RFA?*

— Les « verts » de RFA ont commis une lourde

erreur en se constituant en parti pour agir au sein des Parlements. Car ils représentent un potentiel politique de type populiste et peuvent exercer une sorte de pouvoir de veto, mais guère plus. D'abord, ils sont paralysés par leur hétérogénéité. Il y a des paysans qui défendent leurs terres contre une autoroute ou une centrale nucléaire; des pharmaciens ou des instituteurs qui défendent leur village.

« Mais on trouve chez les " verts " aussi des féministes, des groupes de la subculture étudiante; des mouvements de la vieille droite anticapitaliste. Tout cela ne peut aller ensemble au sein d'un même parti. Mais toutes ces tendances (féministes, régionalistes, écologistes...) révèlent un profond malaise de la société allemande. Elles articulent avec plus ou moins de netteté ce que j'appelle " colonisation du monde vécu ".

– *Vous écrivez qu'après trente ans d'existence la démocratie allemande a encore des pieds d'argile.*

– Je veux dire que la culture politique des Allemands est encore très fragile. La réaction hystérique des partis et de la population au terrorisme trahit un manque d'assurance inquiétant. Elle prouve qu'il suffit de peu de chose pour qu'on remette en cause les libertés publiques et l'État démocratique. L'autoritarisme paraît toujours prêt à renaître. Il reste que, comme les grands partis ne se lassent pas de le répéter, notre régime actuel, par comparaison historique et géographique, garantit un remarquable niveau de démocratie.

– *Vous déplorez que les intellectuels de gauche allemands soient relégués dans un ghetto. N'ont-ils pas pourtant acquis une audience considérable?*

– La droite voudrait faire croire que les intellectuels de gauche exercent un grand pouvoir de sédition et de démoralisation. Cette maffia de gens de gauche affamés de puissance, et qui vivent du travail d'autrui pour endoctriner la masse... Bien sûr, ils font entendre leur voix dans le secteur éducatif, dans les universités, à la télévision (qui, chez nous, n'est pas encore complètement mauvaise...).

« Si les intellectuels de gauche ont une certaine audience, c'est lié au phénomène que je décrivais tout à l'heure : les secteurs éducatifs et culturels sont passés au premier plan du débat politique. Les gouvernements ne peuvent plus se moquer de ce que disent un Böll ou un Grass. On n'est plus au temps où le chancelier Erhard traitait les intellectuels de " roquets ". Mais parler d'un " pouvoir des intellectuels " me paraît une faute d'appréciation suggérée par la droite. »

– *Qui détient en RFA le pouvoir intellectuel?*
– Ce qui se passe dans les universités me semble révélateur. Pour la première fois depuis la défaite du fascisme, on voit des professeurs qui se proclament de droite. Ils forment un groupe organisé, influent, qui a ses revues et ses congrès, où l'on s'arrange pour inviter le président de la République fédérale.

« Leur thème favori est l'amalgame des idées de gauche et du terrorisme. Dans le domaine de la politique éducative, ils prêchent, à tous les niveaux, la restauration des vieilles vertus : ordre, discipline, effort, formation des élites. Ils se posent en " véritables héritiers de l'esprit critique " pour mieux le vider de tout contenu gênant. Des juristes démontrent qu'un excès de démocratie menace l'État de droit. Des économistes militent contre l' " État-providence ". »

– *Êtes-vous un pessimiste? Croyez-vous que le « moloch technique-science-administration » que vous décrivez finira par tuer toute démocratie?*
– Les sciences sociales ont une capacité prospective bien médiocre. J'évite tout pronostic. Je vois seulement toutes les contradictions de notre société. La croissance capitaliste, gérée tant bien que mal par la social-démocratie, se heurte de façon croissante à de nouvelles résistances. Jusqu'ici, on mettait au premier plan la sécurité (voir la réaction au terrorisme) et le niveau de vie.

228

« Mais on voit surgir ce que les Américains appellent " valeurs postmatérialistes ", dont les " verts " sont en ce moment les propagateurs : nostalgie des formes de vie traditionnelles, celles où la communication restait vivante, défense de la nature... La contradiction deviendra bientôt intenable. Nos conservateurs CDU-CSU se plient aux impératifs les plus primaires de la croissance capitaliste. Mais, d'autre part, ils défendent la famille, la nature, les traditions.

« Les sociaux-démocrates entretiennent la même contradiction malgré la pression des " Jusos " (Jeunes sociaux-démocrates) : ce sont les ouvriers qualifiés et les employés qui forment le noyau dur de leur clientèle électorale. Or ces milieux sont attachés à l'idée de croissance et hantés par la peur du chômage.

« Tous les grands partis sont donc engagés dans la même impasse : jusqu'où pourront-ils aller ? Pourtant, je ne suis pas un *Kulturpessimist*. Là résidait mon objection fondamentale à Marcuse : il avait repris, dans *L'Homme unidimensionnel*, par exemple, le diagnostic radicalement pessimiste de la *Dialectique de la raison*. Après Auschwitz, les philosophes de l'École de Francfort ne croyaient plus à un renouvellement des traditions utopiques de la culture bourgeoise. Ils estimaient que la culture capitaliste s'était définitivement stabilisée aux dépens des forces subjectives de résistance et de liberté.

« Notre culture me semble malgré tout porteuse de formes de liberté qu'il s'agit de réactiver pour atteindre à l'idéal d'une société socialiste. Les désillusions vécues dans les années soixante-dix ont eu le mérite de faire table rase de nos certitudes. Mais je ne cède point à la résignation. »

Jacques LE RIDER,
19 octobre 1980.

Jürgen Habernas est né en 1929.
Enseigne la philosophie et la sociologie à l'université de Francfort.

Ouvrages traduits en français

La Technique et la science comme idéologie, Gallimard, 1973, rééd. Denoël, 1978.
Profils philosophiques et politiques, Gallimard, 1974.
Connaissance et intérêt, 2 vol., Gallimard, 1976, rééd. 1979.
Théorie et pratique, 2 vol., Payot, 1975.
L'Espace public, Payot, 1978.
Raison et légitimité, Payot, 1978.

Hans Georg Gadamer

« Le rôle du philosophe, dans la cité d'aujourd'hui, doit d'abord être de remettre en cause l'importance grandissante de l'expert. »

Hans Georg Gadamer, né en 1900 à Breslau, est une des personnalités qui dominent le paysage de la philosophie allemande. Il passa en 1929 sa thèse d'habilitation avec Martin Heidegger. Professeur à Leipzig, puis à Francfort, il prit, en 1949, la succession de Karl Jaspers à la chaire de philosophie de l'université de Heidelberg. Il reste encore méconnu en France, malgré la traduction (partielle) de son œuvre maîtresse, Vérité et Méthode. Hans Georg Gadamer a profondément marqué le développement contemporain des sciences humaines en Allemagne : sa retentissante polémique avec Jürgen Habermas en est le témoignage.

C'est une façon de vivre la philosophie qui se dégage de ce dialogue. Aux cloisonnements académiques, Hans Georg Gadamer oppose l'universalité de la compréhension herméneutique, fondée sur la relation au monde à travers le langage.

– Le titre de votre ouvrage majeur, Vérité de Méthode, *est de nature à provoquer des malentendus, surtout en France. Que recouvre-t-il et, plus généralement, quelle est cette herméneutique que vous entendez fonder?*

– Un titre ne remplit pas son rôle s'il dévoile tout ce que le livre veut dire. Il doit, au contraire, mobiliser des champs de réflexion qui sensibilisent le public. Ma formule est effectivement si ambiguë que les premiers critiques ont cru voir dans le livre tantôt la dernière méthode pour atteindre la vérité, tantôt une condamnation radicale de la méthode! Mais des malentendus aussi extrêmes sont en fait productifs...

« Je pars dans mon herméneutique de l'idée qu'il faut " désabsolutiser " l'idéal de la méthode qui se dégage des sciences exactes. Mon objectif est une *discipline* – non au sens d'une branche particulière de la connaissance, mais au sens d'une attitude de rigueur – qui englobe, en la dépassant, la maîtrise de la méthode. Vingt ans après la parution du livre en Allemagne, cette idée me semble toujours des plus actuelles, car elle n'a pas vraiment été reconnue par nos théoriciens, qui persistent à penser le problème de la science et de sa validité comme la solution des mystères du monde. Mais on oublie que la science ne connaît et n'ouvre le monde que dans une direction particulière. »

– Et, en ce qui concerne les sciences humaines, où s'articule concrètement votre herméneutique?

– Ce qui caractérise les sciences humaines, c'est qu'elles ne mettent pas simplement en jeu des méthodes apprises, mais aussi une capacité de compréhension qui se développe chez le lecteur, le chercheur, le penseur, au-delà des facultés que l'on acquiert rationnellement. Il faut se demander ici : qu'est-ce que la compréhension? Je développe dans mon herméneutique la dimension nouvelle que Heidegger a donnée à cette notion : comprendre n'est pas un mode particulier de relation au monde, mais un « existential », le mode d'être même de l'être-là.

« Contrairement à ce que vous pourriez penser, il s'agit là d'une perspective éminemment *pratique* et qui marque moins une limitation de la science qu'une condition nécessaire à son activité. Il ne s'agit pas pour moi de dire comment il faut comprendre, mais ce qui se produit réellement quand on comprend. C'est, en fait, la tradition de la philosophie pratique qui remonte à Aristote et qui a finalement succombé sous la pression de l'idéal scientifique moderne.

« Le retournement de la *politique* en *sciences politiques* me paraît à cet égard exemplaire, et je pense que le rôle du philosophe dans la cité d'aujourd'hui doit d'abord être de remettre en cause l'importance grandissante de l'expert, qui, pourtant, commet toutes sortes d'erreurs, parce qu'il ne veut pas avoir conscience des points de vue normatifs qui le guident. L'herméneutique vise au contraire à amener les projets constitutifs de la compréhension dans le champ de la conscience, afin de les rendre productifs dans la décision exigée par la situation concrète. »

– *Vous insistez constamment sur la présence de l'histoire ou de la tradition. Jürgen Habermas y voit, en gros, l'expression d'un conservatisme. Que répondez-vous?*

– Lorsqu'on insiste autant que je le fais sur l'historicité de la compréhension, et donc sur son immersion dans les courants de la tradition, je comprends bien qu'on s'expose au contresens qui croit que vous vous laissez flotter au lieu de nager! Mais il s'agit en fait d'un mauvais procès. Habermas croit comme moi aux possibilités idéales du dialogue, mais il croit aussi que cet idéal peut être atteint par le développement de la sociologie et d'une politique fondée sur elle. Il croit donc à l'avènement politique possible de cet idéal. J'ai également fait remarquer à Habermas que le modèle du dialogue psychanalytique qu'il voudrait appliquer à sa sociologie n'est pas acceptable dans les faits, car ce dialogue suppose que le patient donne sa confiance au médecin. Mais le sociologue à qui une société désorientée s'abandonnerait n'existe pas, et, s'il existait, il n'y aurait pas de société pour s'abandonner à lui. Mais Habermas ne semble pas vouloir comprendre cette différence entre le spécialiste et la raison politique.

« Parallèlement, Habermas regrette chez moi l'absence d'une intention critique et du pathos de l'émancipation qu'on trouve dans l'idée de raison telle que la présente la philosophie des Lumières. Je dirai ici deux choses : d'abord il est vrai que notre culture repose sur la conception unilatérale de la Raison héritée des Lumières, mais aussi sur ce qui corrige cette unilatéralité. C'est un point dont on commence à se rendre compte en France également, si j'en juge par la redécouverte de l'esthétique romantique depuis Maurice Blanchot.

« Mais j'ai aussi indiqué dans *Vérité et Méthode* que notre héritage romantique ne devait pas s'opposer à la pensée inspirée par la tradition des Lumières. Il en montre les contours et les limites, et ce jeu d'interaction doit, à mon sens, ouvrir la voie à une pensée productive. Quant à la question de savoir si une pensée ancrée dans la tradition recèle une dimension critique, je réponds très nettement : la critique est dans *toute* pensée véritable; il n'y a pas de pensée sans la distance qui se manifeste dans toute attitude de questionnement. Et il n'y a pas de question sans la conscience qu'à toute question il y a plusieurs réponses possibles. »

– *Cette dialectique de la question et de la réponse dans laquelle vous voyez le mouvement universel de la compréhension peut prêter à un autre malentendu : si la question est plus importante que la réponse, n'êtes-vous pas conduit à refuser l'engagement politique?*

– Je concède volontiers que le philosophe, en tant que philosophe, n'est pas le mieux préparé aux décisions politiques : pensez à Platon... D'un autre côté, j'ai fait sentir tout à l'heure que l'engagement est à l'œuvre dans tout acte de compréhension. Simplement, il ne s'agit pas d'un engagement au nom d'une cause politique donnée. Cet engagement-là regarde le philosophe en tant que personne, tandis que sa philosophie ne doit pas être engagée dans le même sens : elle est atopique, c'est-à-dire non liée à une position préétablie, et donc libre de s'engager partout.

« Pour compléter ce que j'ai dit il y a un moment, je rappelle que la compréhension est toujours projet, qu'elle actualise toujours en elle-même la dimension du futur, de l'à-venir. Si bien que si vous me demandez maintenant : " Pourquoi des philosophes aujourd'hui? " je vous répondrai ceci : nous vivons dans une civilisation où les défis auxquels nous sommes confrontés ébranlent le patrimoine de certitudes sur lequel reposait notre pensée. Il est de plus en plus évident que la civilisation technologique s'est engagée dans une impasse.

« Plus personne ne croit aujourd'hui, hormis peut-être quelques experts, que la mentalité industrielle permette véritablement l'épanouissement des possibilités humaines. Nous vivons pour la première fois à l'échelle planétaire la rencontre de traditions très différentes. Notre ignorance de l'avenir nous interdit de penser que la mentalité industrielle de l'Europe et de l'Amérique du Nord puisse apporter une réponse définitive à nos questions.

« En ce sens, l'actualité véritable de l'herméneutique est d'imposer à notre conscience la nécessité de la tolérance et d'ouvrir le passage à des réponses nouvelles. Je vois bien que le monde d'aujourd'hui n'a pas fait de progrès dans la voie du dialogue, mais la dure réalité du futur nous obligera au dialogue. Le dialogue véritable (qui n'a rien à voir avec le simulacre politique qu'on appelle de ce nom) permet seul de reconnaître l'Autre. Il nous apprend aussi que ni l'un ni l'autre des partenaires ne peut avoir raison à lui tout seul. »

– Il y a donc en vous une confiance dans le « pouvoir » de la philosophie?

– Si vous n'entendez pas pouvoir au sens d'hégémonie, sans aucun doute. Mais il ne faudrait pas imaginer que la philosophie, dans un monde structuré par les sciences exactes (y compris dans leur projection sur les sciences humaines), puisse prétendre couronner l'univers intellectuel, comme ce fut le cas par le passé. Le philosophe a simplement plus conscience que d'autres de sa propre ignorance, c'est un principe universel, mais qui ne suffit pas à lui faire endosser la responsabilité du monde!

« Je crois plutôt que son intelligence politique consiste à prendre conscience des illusions que recèle la foi aveugle dans le savoir spécialisé et dans l'idée de progrès qui gouverne notre civilisation d'experts scientifiques et techniques. La fonction de la philosophie est de bien apprécier la limite de ces illusions pour intégrer cette prise de conscience aux décisions à venir.

« C'est le sens de toute ma controverse avec Jürgen Habermas. Je dis : " Vous faites comme si la compréhension et le dialogue n'étaient plus possibles aujourd'hui à cause des distorsions de classes, etc. " Je n'en crois rien; je crois qu'il en était exactement de même à Athènes avec Socrate. Il s'agit pour le philosophe de montrer le perpétuel conflit entre la prétention du spécialiste à la compétence universelle, d'une part, et le sens des responsabilités politiques, d'autre part, qui ne peut fonder sa légitimité sur le savoir spécialisé. »

– Vous avez été l'élève de Heidegger, et vous l'avez connu personnellement. Comment expliquez-vous, après ces considérations sur philosophie et politique, sa « faute historique » de 1933, que Blanchot a nommée la « plaie béante de la pensée »?

– On a du mal, aujourd'hui, à se représenter à quel point la situation était ambiguë en 1933. Cette « révolution » était à la fois conservatrice et fasciste; or Heidegger n'a jamais vraiment clarifié son rapport à ce double aspect de la situation politique. Pour lui, les universités allemandes étaient des institutions sclérosées que son génie emportait comme des citadelles. Une étonnante carrière l'avait conduit du fin fond de la province (car que représentaient alors le lycée de

Constance et l'université de Fribourg-en-Brisgau?) à la notoriété internationale. Il y voyait la preuve de la vitalité irrésistible de l'originaire *(Ursprünglichkeit)* qui l'emportait sur la société raffinée et affadie. Et cet élan révolutionnaire authentique qui portait sa pensée lui inspirait aussi, bien avant 1933, une sympathie évidente pour le radicalisme nazi.

« Après la guerre, j'ai beaucoup fréquenté Heidegger. Mais nous n'avons jamais reparlé de cette période. Les années trente nous avaient séparés; je me rappelle le choc que j'ai ressenti lorsqu'il m'a envoyé son discours inaugural de recteur – et qui portait comme dédicace : " Avec mon salut allemand. " J'avais l'habitude de le regarder avec vénération; à ce moment, cela m'était impossible. Il espérait du bouleversement nazi une régénération du climat intellectuel. Mais il a bien vite enterré cette illusion.

« En revanche, il ne s'est sans doute jamais tout à fait guéri de sa défiance envers l' " urbanisation de la vie ", ni de son attachement à une rusticité authentique. On connaît son célèbre discours radiophonique : " Pourquoi nous restons dans notre province "; quand il disait préférer parler du temps et du bétail avec les paysans du village, plutôt que de s'entretenir doctement avec ses collègues philosophes, il était sincère. En 1933, Heidegger n'était certainement pas un opportuniste. Mais il s'est laissé manipuler, et toute une part de lui-même a vraiment adhéré à ce qu'il croyait apercevoir dans le nazisme.

« Cela dit, je ne renie rien de son influence philosophique sur moi. J'avais commencé comme germaniste et historien de l'art. C'est à Marbourg que j'ai fait mes premiers pas en philosophie, j'y ai assisté au sabordage du néokantisme. Quand j'ai rencontré Heidegger, je me suis rendu compte que j'avais tout à apprendre. C'est sous son influence que j'ai décidé d'étudier la philosophie classique. Il était pour moi, dans une certaine mesure, un modèle... sauf comme philologue, c'est même pourquoi je le suis devenu! Je pense que ma pensée herméneutique ne se serait pas développée de manière aussi productive sans cette assise pluridisciplinaire.

« Il y a un point, toutefois, sur lequel je prends mes distances par rapport à Heidegger. Il me semble que son interprétation de l'héritage grec est trop unilatérale; il est certain que personne n'a mieux montré que lui à quel point notre culture occidentale s'enracine dans la pensée grecque. Mais sa conception de l' " oubli de l'être " *(Seinsvergessenheit),* commençant dès Platon pour conduire jusqu'à l'époque de la technique planétaire, me paraît trop exclusive. A mon sens, Heidegger méconnaît que l'oubli de l'être va de pair avec un constant effort de " souvenance de l'être " *(Seinserinnerung)* qui traverse tout le platonisme; toute la pensée mystique en est l'illustration, y compris ce qui, dans le pensée moderne, se rattache à elle. »

– *Voyez-vous de semblables exclusives dans sa lecture de Nietzsche?*
– Non, justement pas : s'il y a un travail d'interprétation de Heidegger qui me paraît inattaquable, c'est bien celui-là. La manière dont il a montré l'unité de la volonté de puissance et de l'éternel retour est un acquis incontestable. Face à d'autres auteurs, j'ai toujours pensé que Heidegger fait violence aux textes, de manière très productive il est vrai. Mais, dans le cas de Nietzsche, il m'a bien fallu rendre les armes. C'est sans doute ce qu'il a fait de mieux dans ce domaine, avec sa lecture d'Aristote. L'importance de Heidegger aujourd'hui ne m'étonne pas, ce qui m'étonne beaucoup, c'est la façon dont on l'aborde : on croit pouvoir comprendre Heidegger sans Aristote; pour moi, c'est de la blague, tout simplement.

– *Vous avez vous-même écrit sur Hölderlin. Vous pensez donc que l'interprétation que Heidegger en a donnée est secondaire?*
– Elle est très importante pour la compréhension de Heidegger, beaucoup moins pour celle de Hölderlin.

Mes premiers travaux sur Hölderlin sont antérieurs à ceux de Heidegger, je n'ai donc pas été influencé par lui à ce propos. Heidegger questionne ces textes avec une espèce de « fraîcheur », sans aucune médiation, un peu comme le piétiste lit sa Bible, en se réfléchissant dedans.

– Dans quelle mesure peut-on parler de relation entre la poésie et la philosophie?
– L'interprétation de la poésie illustre ce qu'est, pour moi, l'herméneutique : tenter de formuler avec le plus de rigueur possible la réponse que la rencontre du texte éveille en nous. Cela signifie qu'il faut montrer le moins possible ce que cela suppose d'érudition histori-que, esthétique, linguistique, stylistique, que sais-je encore. La vertu cardinale de l'herméneutique consiste à subordonner tout cela à l'intention du texte lui-même. Et, en effet, les deux tâches ne sont alors plus très éloignées : il s'agit, pour le philosophe comme pour le poète, de trouver des formules conceptuelles pour exprimer ce que nous dit l'expérience du monde. Tout deux ont pour tâche de répondre au langage à travers le langage. Dans cette mesure, l'interprétation dé-techni-cisée de la poésie constitue un enjeu proprement philosophique.

« On fait, en présence d'une œuvre d'art, l'expérience d'une vérité inaccessible par aucune autre voie; c'est ce qui fait la signification philosophique de l'art. Tout comme l'expérience de la philosophie, l'expérience de l'art incite la conscience scientifique à reconnaître ses limites. »

– Vous aviez déjà exprimé une pensée analogue à propos du philosophe dans la société; quelle est la question qui, dans la société moderne, vous paraît la plus pressante?
– Comment peut-on préserver – non pas seulement en théorie ou sur le principe, mais concrètement, dans les faits – le courage de chacun à former et défendre un

jugement personnel, malgré l'influence des experts et les manipulateurs d'opinion publique. »

Philippe FORGET et Jacques LE RIDER,
19 avril 1981.

Hans Georg Gadamer est né en 1901 à Breslau (aujourd'hui Wroclaw).

Docteur en philosophie. Succède en 1949 à Karl Jaspers à la chaire de philosophie de l'université de Heidelberg.

Professeur émérite en 1968. Membre de plusieurs académies allemandes et étrangères.

Ouvrages

Thèse de doctorat sous la direction de Heidegger, *L'Éthique dialectique de Platon*, 1928.

Wahrheit und Methode, 1960, partiellement traduit sous le titre *Vérité et méthodes, grandes lignes d'une herméneutique philosophique*, Seuil, 1976.

L'Art de comprendre, herméneutique et tradition philosophique, Aubier, 1982.

Table

Cet ouvrage a été réalisé sur
Système Cameron
par la SOCIÉTÉ NOUVELLE FIRMIN-DIDOT
Mesnil-sur-l'Estrée
pour le compte des Éditions La Découverte
le 12 mai 1984

Imprimé en France
Premier tirage : 12 000 exemplaires
Dépôt légal : mai 1984
N° d'impression : 0838